面白い物語の法則〈上〉

強い物語とキャラを作れるハリウッド式創作術

クリストファー・ボグラー&デイビッド・マッケナ
府川由美恵（訳）

角川新書

私の愛する《カラ・ミーア》アリスに

——ボグラー

ジーに……

——マッケナ

本書への推薦コメント

「台本のページ上で見ただけではわからないものだが、ストーリーの構造は、その九割までが映画脚本執筆時の駆け引きによって生まれる。優れた映画は優れた構造を持っている——それがすべてだ。ミスター・マッケナほどそのことをよく知り、手際よく伝えている人物はいないだろう。私が現在も現役の脚本家を続けられている大きな要因のひとつは、彼の洞察力にほかならない」

——**マーク・ファーガス**

（アカデミー賞ノミネート作品『トゥモロー・ワールド』『アイアンマン』の共同脚本家）

「たったいま『面白い物語の法則』を読み終わったばかりだが（だからこの宣伝文を書いているんだが）、早くもこの本にはだいぶ助けられた。ちょうどリライトの手法が欲しかったんだが、この本はその突破口を見つける手助けになったんだ。こいつは社交辞令じゃないぜ」

——スコット・シルヴァー
（『8マイル』の脚本家、『ザ・ファイター』でアカデミー脚本賞ノミネート）

「本書のボグラーとマッケナのタッグチームぶりは、読み手にまったく油断を許さない。自分がひとりぼっちでわめいているときに、二つの声を聞けるのはいいことだ。この二人なら、映画脚本について、これまで聞いたこともないような見解を伝えてくれるはずだ——このことは、映画脚本執筆ガイドがたくさん出まわっているこの世の中では大きな強みだ」

——マシュー・テリー
（映画製作者、脚本家、教師、www.hollywoodlitsales.com のコラムニスト）

「誤解を恐れずに言うと、こんな本が出るなんておかしいんだよ。なぜかって？　映画会社のストーリー開発部がこんな良質な小論を外部に出すはずがないからだ。本書はそのぐらい、ストーリー、テーマ、キャラクターについてのすばらしいガイドブックであり、すべてのライターやストーリー開発担当者たちが、机に一冊置いておくべきものだ」

——チャド・ガービッチ

（ライター、テレビ番組プロデューサー［『ワイプアウト（Wipeout）』『リアリティ・ビンジ（Reality Binge）』『スピーダーズ（Speeders）』『フーディ・コール（Foody Call）』］。『スモール・スクリーン、ビッグ・ピクチャー——ライターのためのTVビジネスガイド（Small Screen, Big Picture：A Writer's Guide to the TV Business）』の著者）

「デイビッド・マッケナは、映画、芝居、小説などの博学な知識とともに現実世界の事例を提供し、映画の脚本執筆というあいまいで困難な作業をライターがやりぬくための導き手となってくれる。マッケナは、陽気で、洞察力があり、すばらしい脚本を書きたいという不可能にも見えるミッションを、可能に見せてくれる（私たちには、それを望む勇気があるだろうか？）」

——スーザン・ダンズビー

（エミー賞受賞テレビドラマの脚本家、『あなたはこの仕事をどうやってつかんだのか？（How Did You Get That Job?）』の著者）

「どんな良質なストーリーにも、最低でも二つの側面がある。書き手がストーリーテリング技能の本質をつかもうとすれば、それを理解するには、二つ、ときにはそれ以上の視点が必要となる。クリスとデイビッドは、たくさんの新しい視点を、誰もが『なるほど』と感じられるような明瞭《めいりよう》さで提供することに成功した。彼らはまず、人を人生のなかで動かし、キャラクターを物語のなかで動かすものを、〝求めるもの〟リストとして一覧にする（動因なしでは誰もどこにも行けないからだ）。『面白い物語の法則』は、観客の注目を惹《ひ》きつけたいと願うすべてのライターに対し、これまでに書かれた最も希有《けう》で価値ある必需品のひとつとして、強く推薦したい文献である」

――アン・ボールドウィン
（映画脚本家）

「クリストファー・ボグラーとデイビッド・マッケナの共同執筆によるこの本は、すべてのライターの書棚に置かれるべき著作であり、ボグラーの前著『神話の法則』と仲よく並べられるべきだろう。『面白い物語の法則』の執筆スタイル（各著者による章ごとの執筆と、互いのアイデアに対する寸評）は新鮮で、読む興味をそそる」

――エリン・コラード
（映画レビューサイト www.onemoviefivereviews.com のライター）

「『面白い物語の法則』は、映画のストーリーを通じた人生共有の技巧を、深いところまで人間的に追求した著作といえる。本書は深淵《しんえん》で示唆に満ちたロードマップだ。とはいえ、メッセージを読者に伝えるためのユーモアや、情や創造力にあふれた本ともなっている。すべての映画脚本家が読むべきすばらしい著作である」

——**ペン・デンシャム**

（ハリウッドのプロデューサー、脚本家、監督。映画『ロビン・フッド』『モル・フランダース』の製作、テレビシリーズ『アウター・リミッツ』『トワイライト・ゾーン』のリメイク版の製作等）

目次

はじめに

ボグラー

本書に登場するツールやテクニックは、私、クリストファー・ボグラーと、友人で同僚でもあるデイビッド・マッケナとの、長年にわたる活発な議論や共同作業から生まれたものである。

私たちはどちらもいろいろな仕事をしてきたが、キャリアの大半を占めるのは、プロフェッショナルのストーリー・アナリストだ。要は、大手の映画会社のストーリー部門で、物語や脚本や小説の原稿を読み、それを評価する仕事である。私たちは、ざっと四万作に及ぶさまざまな形式の物語を批評し、そのほかにも二人で一緒に、何十という執筆プロジェクトをこなしてきた。

この仕事をやっていくためには、自分たちが扱うものをあらわす用語や概念の一覧表を作る必要があった。つまり、構造、キャラクター、テーマといった、ストーリーの本質的な要素をあらわす用語の一覧だ。私たちはたくさんの疑問を投げかけ、自分たちの理論や言語を組み立てながら、この手強《てごわ》い問題を手なずけようとしてきたが、われわれの先駆けとしてこうした問題を追究した人々は、アリストテレスの時代から絶えることなくずっといたのである。私たちは先人の業績に感謝し、私たちがそこから学んだことのいくつかを本書にも採り入れ、そのうえで自分たち自身の洞察や解釈を加えていきたいと思っている。それを読者の皆さんにお届けすることで、皆さんが私たちと同じように、物語の謎がいかに魅惑的かを知り、さらに疑問を追究し、知識量を増やす助けになればと願っている。

ツールキット

本書は、私たちが頭のなかで使うためのツールキットである。私たちの能力を高め、目標や効率を改善するのに不可欠な道具のコレクションであり、私たちの作業をずっと楽にしてきてくれたものだ。本書のあちこちでさまざまなツールが登場してくる。登場人物を明確なものにし、構造を細かく定め、テーマを決定し、意図を明らかにし、観客の楽しみを高めるためのツールだ。

拙著『神話の法則　ライターズ・ジャーニー』（ストーリーアーツ&サイエンス研究所、二〇〇二年）をお読みいただいた読者なら、私が物語を設計したり、トラブルシューティングをおこなうためのアプローチの基盤にしているのが、偉大なる神話学者、ジョーゼフ・キャンベル（一九〇四～八七年）の研究であることはご存じだと思う。キャンベルの研究を、12のステージからなる典型的な〈英雄の旅路《ヒーローズ・ジャーニー》〉としてまとめ、映画にも適用できる物語構造としたものだ。また、キャンベルやスイスの心理学者カール・ユングの研究を基礎として、キャラクターの原型《アーキタイプ》の理論化も試みた。

〈ヒーローズ・ジャーニー〉の構造や原型は、便利なものではあるが、物語作家の道具箱においてはさまざまなツールのなかの二つに過ぎない。日常、私が物語と取り組むときには、ほかのたくさんのツールにも手を伸ばす。ボードビル（寄席演芸）や芝居から得た遺産、ハリウッドに伝わる伝統的な知恵、ウォルト・ディズニーのノウハウ、心理学の言語、それに音楽やダンス、絵画、東洋武術、建築、軍事などから借用した原理の助けも借りる。デイビッドのほうも、役者、歌手、ナレーター、演技コーチ、バスケのピックアップゲームプレイヤー、演出家などの訓練や経験から得た別のツールを持っている。私たちは二人とも、ほかのどこよりも優れた学校、すなわち実社会という場で学んだことを、すべてツールキットとして活用しているというわけだ。

本書では、私たちが良質な物語を創作するために、不可欠な原理や技術だと考えているものを提供していくつもりだ。

さて、これから私たちが提供するツールキットについて、少しご紹介しておこう。

まず最初に本書で提供するのは、構造、登場人物、テーマに不可欠なツールだ。『神話の法則』で深く掘りさげた二つのツール、〈ヒーローズ・ジャーニー〉の12ステージの構造モデル、そして、そこにキャラクターとして登場してくる八つの主な〈原型〉を、ギャラリーにしてざっと振り返ることにする。構造とキャラクターについては、新しい素材も追加するつもりだ。これは、私がここ何年か使ってきたものの、これまで発表したことのないツールだ。ウラジーミル・プロップによるロシアのおとぎ話構造の分析や、アリストテレスの信奉者のテオプラストスが書いた、キャラクターの類型についての優れた書物の内容を採り入れている。デイビッドも、〝両極性〟〝相互アクション〟〝求めるものリスト〟といった、基本的なストーリーテリングの強力なツールを紹介してくれる。また、〝ログ・ライン〟や〝シノプシス〟など、映画会社のストーリー部門では不可欠なツールについても触れ、物語作家がテーマやキャラクターや意図を明確にするうえで、これらがどう役に立つかを示そうと思っている。

さらに、デイビッドの〝六つの環境的事実〟についても充分なページを割くつもりだ。

これは、キャラクターやストーリー全体を、経済・社会・宗教・政治の条件、及び時間・場所の影響という六つのプリズムをとおして見ていこうとする方法だ。テキサス大学のフランシス・ホッジ教授が開拓した劇作分析や場面準備の方法論を、デイビッドが〝環境的事実〟としてまとめ、さらに発展させたものだ。

六つの環境的要素をひとつにまとめることで、物事の完全で多面的なイメージが構築され、役者や監督はより情報量の多い選択をおこなうことができ、テーマをさらにドラマティックに表現できるようになる。これらは映画の脚本家やプロデューサー、ゲームやインタラクティブなメディアのデザイナー、あるいは物語の完全な支配権を手にしたいと願う誰にとっても、等しく有益なものになるはずである。

下巻第25章では、デイビッドの〝五か年計画〟を読者の皆さんにお勧めし、私もいくつか励ましの言葉を添え、それから皆さんをよりすばらしい物語創作の世界へ送りだすつもりでいる。

私たち二人がどちらも強く感じていることがある。本書で述べることのすべては、実行に移されないかぎり、なんの意味も価値も持たないものだということだ。ツールキットというよりも、完全な設備のある自動車修理工場が、修理やカスタマイズの必要な車を待っているようなものだと思えばいいかもしれない。理論を試し、いくつかの規則を実際の作品に適用して初めて、物理の法則をものともしない強力な成果が生まれ、投資した以上のエネルギーとなって戻ってくるのだ。ぜひ自分で試してほしい。本書のツールをどれか選び、見た映画や読んだ本、自分が進めているプロジェクトに応用してみれば、びっくりするようなエネルギーが生まれてくるのがわかるはずだ。これらのツールは、使って初めて自分のものにできる。それまでは、単なる理論に過ぎない。

すぐに行動し、楽しんでみよう。そして、自分自身の体験を、ストーリーテリングの遺産に加えていこう。

ストーリー部門での日々

マッケナ

これまで本を書きたいと思ったことなど一度もなかった。僕の腰を上げさせたのは、クリストファー・ボグラーだ。

僕は生まれついての抒情詩人《トルバドゥール》で、意見屋で、話上手で、エンターテイナーだ。演出家をやりはじめたときはのんきな若者で、大して金にもならない舞台の仕事を渡り歩いていた。ショーマンシップや自分の技能というものを学び、出資してくれる気のある相手なら誰のためにでも仕事をして、それでハッピーだった。

そしてミスター・ボグラーと出会った。僕よりもずっとまじめで意志の強い男だった。その辛辣《しんらつ》なウィット以外で僕がボグラーに惹《ひ》かれたのは、不可解な分厚い本を読みこなし、謎めいた情報を消化しやすいひと口サイズのおいしい知恵に変えてくれる、彼のユニークな才能だった。意見屋が説明屋と出会ったというわけだ。

僕らが共有していたのは、物語と、物語創作への飽くなき欲求だった。

まじめな話、クリスは映画界で安定した仕事を手に入れようと精進していた。僕の芝居への熱意が永遠のものだと気づいたクリスは、僕の手を取り、一緒にやろうと言い張った。クリスは僕に、映画会社のストーリー・リーダーやアナリストとして、どう生計を立てればいいかを教えてくれた。彼は文無しの愚か者に本当に親切にしてくれた。だが、別の見かたをすれば、要するにクリスは、芸術の旅に与えられた課題の解明を助けてくれる同志、自分に別の課題を与えてくれる仲間をリクルートしようとしていたわけでもある。長年この仕事をやりながら、僕たちは無数の脚本を分析してきた。二人しかいないストーリー部門のメンバーをやってきて、いまでもそれは続いている。

つまりこの本（僕が絶対書きたくなかったこの本）は、僕たちの四〇年におよぶ会話の遺産だ。コンクリートでカヌーを造ったことが自慢のアマチュア職人の息子として生まれたクリスは、物事がいかに機能するかを説明し、そこからよりよい道具《ツール》を発明するという、生涯のミッションを背負っている。『神話の法則』や、本書で彼が書いた章は、その探求の結晶だ。

クリスは何年もかけて僕をせっつき、僕の知識を説明させようとしてきた。そしてついに僕はキーボードに手錠でつながれ、クリスの望みをかなえることになった。僕のこの本への貢献が、物語作家や観客にとって、クリスのこれまでの研究の半分でも価値あるものと思ってもらえるなら、僕はそれだけでハッピーだ。

あいつら何者だ？

ボグラー

ブッチ・キャシディ「癇《かん》に障ってきたな。あいつら何者だ？」

——ウィリアム・ゴールドマンの映画脚本、『明日に向って撃て！』より

私はミズーリで農家の息子として生まれた。デイビッドはニュージャージー郊外の出身だ。この二人の男が、どうして一緒にストーリーテリングの国で長い旅を始めることになったかを書いてみようと思う。

私が十二歳のとき、家族はセントルイスの郊外から、四〇マイル西にある農家へと引っ越した。子どもだった私は、映画、おとぎ話、神話や伝説、コミックなど、物語のあるものならなんにでも惹《ひ》かれた。なんとかして物語の中に入り込みたい自分がいるのはわかっていた。ミズーリ大学で放送ジャーナリズムを学び、卒業後は米国空軍に加わった。若い士官としてロサンゼルスに派遣され、そこで軍事宇宙計画のドキュメンタリー・フィルムを製作し、さらに二年後には、テキサス州サンアントニオのケリー空軍基地に移り、訓練ビデオを撮った。

芝居や演技にも興味があって、あるとき基地の友人のひとりと一緒にダウンタウンへ行き、地元で上演する舞台、『ダイヤルMを廻《まわ》せ！』の役のオーディションを受けた。友人の話では、演出家はローカル演劇界の新進気鋭の反逆児、デイビッド・マッケナという興味深い人物だという。

マッケナは実におもしろい男だった。長髪にぼさぼさのあごひげ、声のでかいニュージャージーっ子だ。いつもエネルギーを煮えたぎらせ、たえずゴムボールを弾ませたり、杖《つえ》を振りまわしたりしていた。不躾《ぶしつけ》で鼻持ちならないがとても愉快で、型破りな演出術は私の興味をかきたてた。皮肉っぽくていたずら好きだが善良なところは、バッグス・バニーを思わせた。

デイビッドは、私よりずっとうまい役者である私の友人に大きな役を与え、私には端役の警官役をくれた。私はいろいろなアクセントで話すのが得意だったので、この芝居で使うラジオや電話の声も提供し、さらにボランティアで〝簿記係《キープ・ブック》〟も務めた。〝簿記係〟は、リハーサルをやりながら、演出家が言ったことをすべて脚本に書きとめていく仕事だ。デイビッドは、芝居や出演する役者の支配権は演出家がすべて掌握するべきと考えていて、厳しく情け容赦がなかった。自分がどうやりたいかは全部自分で理解していて、他人の意見には興味がないようだった。

当時の基準からすれば、デイビッドが選んだ演出スタイルは風変わりで大胆で、観るほうも大変なものだった。それでもデイビッドにはデイビッドの理屈があり、従うべき規範というものがあった。彼は映画的な言語を用い、ショットやアングルやカットについて語り、古典的な映画を引き合いに出した。彼の映画の趣味や映画への愛情は、私と似ているように思えた。私も割り込んで意見を言いたかったが、我慢して口をつぐみ、デイビッドの言葉を全部書きとめていた。

芝居の一大アクション場面を脚色していたときのことだ。殺人者に襲われた女性が奮闘し、自分を守ろうと反撃して、ハサミで殺人者を刺す。デイビッドはその場面の演出を終え、次の場面に進もうとしたが、そこで私はつい意見を口にしてしまった。「そこで相手が死んでなかったらどうですかね？」

マッケナは振り返り、目を見ひらいて私をながめた。最初その顔には、「おれの演出に口を挟んだこいつはいったい誰だ？」という表情が浮かんだ。しかしすぐに、「おい、いいアイデアじゃないか！」という顔に変わった。

「吸血鬼みたいな感じにするんです」私は続けた。「彼女はそいつを殺し、観客もそう信じ、彼女も信じる。そこで男がいきなり立ちあがる——男は死んでなかった！　男がまた襲ってきて、背中からはハサミが突きだしてる！　彼女はまたそいつを殺さなきゃならない！」

デイビッドはそのアイデアを気に入り、すぐに芝居に採り入れてくれた。その夜、私たちはリハーサルが終わるとコーヒーショップへ行き、そのときから、その後何十年にもわたる議論が始まった。それが本書の骨組にもなっている。

私たち二人には共通点がたくさんあることがわかった。ベビーブームの最盛期の一九四九年、ほんの何か月ちがいで生まれた私たちは、広がりゆく中産階級家庭の世界で育ち、カトリックの教会に叩《たた》き込まれた一定の倫理観を持つ者同士だった。どちらも西部劇映画を高く評価し、歴史や超自然現象に関心を持っていた。だが、時がたつうちにわかってきた私たちの最大の共通点は、あらゆる形の物語に心を奪われているということだった。私たちには物語を生みだす一定の能力があり、物語構造を感覚で理解し、頭のなかで一覧表にしてある膨大なサンプルを持ちあわせていることがわかってきたのだ。

私たちは親しい友人となり、活気あふれる想像力豊かな街サンアントニオの演劇界で、

討論中の若き日のボグラー（左）とマッケナ。カリフォルニア州ロンポックのラ・プリシマ・ミッションにて。（ジョイス・ギャリソン撮影）

ステージの仕事をいくつか一緒にやった。まるで魔法のような時間で、自分たちにはなんでもできると思っていた。誰しも経験することだが、そんな時間もやがて終わりを迎え、そこに集まっていた創造的な精神もあちこちへと散っていった。魔法の時間が終わると同時に、私の空軍での服務期間も終わった。デイビッドも私も、自分たちが追いかけたい仕事のことをさらに知る必要があると感じ、それぞれ大学院に入る決心をして、国の東西に分かれた。もちろん、今後も連絡を取りあい、創造の火花を絶やさないようにしようと約束することは忘れなかった。

デイビッドは東に向かい、ピッツバーグにあるカーネギー・メロン大学に行って、演出家としてのスキルを磨いた。私はロサンゼルスに行き、復員兵援護法の助けを借りてUSC（南カリフォルニア大学）の映画学部に入り、ライティングと映画の演出スキルを学んだ。

このころの私は、混沌《こんとん》として見える物語の世界に筋道を与えるために、原理や一般理論を組織化できないかと考えていた。いま思えば、デイビッドはテキサス大学オースティン校の学部生時代に、ホッジ教授から指導を受け、すでに演出のアプローチとなる自分の〝統一場理論〟を見つけていたのだ。私が自分バージョンの理論を見つけだしたのはそれからまもなくで、USCの教授がジョーゼフ・キャンベルの世界と〈ヒーローズ・ジャーニー〉

の概念を教えてくれたときのことだ。この人生を変えるような体験が、のちに『神話の法則』の執筆につながり、私のキャリアの基礎固めにもなった。

そうした時期、そしてそれ以降も、デイビッドと私は接点を持ちつづけた。実際のところ、私たちは実に真剣に交流を続けてきた。おたがいに長い手紙を書き、自分たちの受けた指導や、これから公開される新しい映画のことなどについて、意見を比べあった。大学院を出たあと、デイビッドは演出家と演技コーチの仕事を始め、私はハリウッドでの初仕事として、ストーリー・アナリストの仕事を始めた。私たちはその後も年に何日かは顔を合わせ、映画の分析をしたり、仕事で出会った物語について議論したりと、熱心なセッションを持つようにしてきた。だが、すべての物語に隠された構造の探求という作業も、水面下でずっと続いていた。

私はハリウッドでストーリー・アナリストの仕事を続け、脚本やストーリーを読み、〝カバレッジ〟と呼ばれる執筆レポートを書いてきた。私はこの仕事が得意で、物語構造というものをよく知っているという評判も得たが、これは〈ヒーローズ・ジャーニー〉が私に与えてくれたツールのおかげだ。あるとき私は、ロサンゼルスに来たデイビッドを、自分の職場である20世紀フォックス社のストーリー編集部に紹介した。そこの編集者は、フォックス社のニューヨーク・オフィスのストーリー部門にデイビッド向けの仕事があるかもしれないと言い、ストーリー分析のスキルを見たいので、カバレッジのサンプルを書いてみないかとデイビッドに勧めてきた。

デイビッドもよく覚えているだろうが、私はデイビッドに地獄のようなトレーニング・コースをやらせ、これでよしと言えるまで、くり返しサンプルのカバレッジを書かせた。努力の甲斐《かい》あって、デイビッドはその仕事を勝ちとり、それ以来、引っぱりだこの有能なストーリー・アナリストとなった。

二年後、私はフォックス社のストーリー部門を辞め、ディズニー社に移った。ディズニー社は経営陣や社風を一新したばかりで、新鮮な活気に満ちていた。私は映画製作プロセスのさらに深い場所にある謎に触れたり、歴史のリサーチをしたり、流行《はや》りのカルチャーのさまざまな要素をレポートにしたり、製作準備中の脚本について詳しい覚書をまとめたりするようになった。

ストーリーテリングの奥深い原理や、物語の論理に関する暗黙のルール、とりわけ、私がキャンベルの〈ヒーローズ・ジャーニー〉に見いだした構造やキャラクターのパターンに対する私の興味は、決して失われることはなかった。〈ヒーローズ・ジャーニー〉が持つ大きな可能性のことを、映画のストーリーテリング手法のガイドとしてまとめたい、そんな強い気持ちが私の中でふくらんでいった。ディズニーのプロダクション・チーフだったジェフリー・カッツェンバーグは、新たなハリウッドを形づくるための〝出撃命令〟をよくメモに書いていたと聞くが、それと同じような形式で、基本的な原理を短い文章にまとめ、映画会社向けの覚書にしようと考えるようになった。

私はこの計画に集中するためにしばらく仕事を休み、ニューヨークへ飛んで、このアイデアをデイビッドにぶつけてみた。私たちは一週間これに熱心に取り組み、パターンのあらゆる面について議論し、テストし、言葉のあちこちをいじって調整した。デイビッドも大きな力を貸してくれ、古典映画のサンプルを使って〈12のステージ〉のあらゆるバリエーションの実例を示してくれた。

古い映画を見すぎてデイビッドのビデオデッキがへばってしまうころ、私はロサンゼルスに戻り、〝『千の顔をもつ英雄』実践ガイド〟という覚書《メモ》を書きあげた。これがかの有名な、あるいは悪名の高い、七ページの物語構造のガイドで（この内容は本書第6章に再録している）、これがその後、すぐにハリウッドのストーリー文化に浸透していくことになる。

私は最初のコピーをデイビッドに送り、それからストーリー・アナリスト仲間やディズニーの重役たちにも配りはじめた。最初のうちは大半の人々が、「おもしろいね」と言っただけだった。それでも私は漠然と、何かをつかんだと感じていた。この〝覚書〟は小さなロボットのようなもので、映画会社からハリウッドの思考のジェット気流に乗り、ひとりでに動きだすだろうと思っていた。当時はファックス機が登場したばかりで、私はこの覚書がいずれ街じゅうに広まるだろうと想像していたが、本当にそのとおりのことが起きたのだった。

私が人の気持ちを動かしたことは、反応を見ていてわかった。若い幹部たちがその覚書のことを話しあい、友人にも教えているという噂を耳にするようになった。覚書は、タレント・エージェンシーや映画会社の重役室、たとえばパラマウント社のドーン・スティールのオフィスなどで、〝なんとしても手に入れたい〟文書と見なされるようになった。何よりも明らかな賛辞を示すように、盗作が出現した。表紙に自分の名前を入れ、自分で書いたと主張した野心家の若い幹部は、ひとりや二人ではなかった。誰かが盗む価値があると思ったのなら、それだけのものを生みだしたことは明らかだ。

まさに〈ヒーローズ・ジャーニー〉の場面のひとつが生まれ、〈原型〉が現実世界にやってきたようなものだった。盗作した人々は、単なる〈戸口の番人〉であり、おとぎ話に突然現れ、主人公ではなく自分がドラゴンを殺したと言いだす〝偽の主張者〟のようなものだ。主人公が〈報酬〉を得るためには、別の〈試練〉をパスしなければならない。そこで私も大胆な行動に出ることにし、関係者会議で〝覚書〟を賞賛してくれたジェフリー・カッツェンバーグに手紙を書いた。あの文書の本当の作者は自分であると伝え、ひとつ頼みごとをした――ストーリー部門にも、社の意思決定にもっと関与させてほしいと頼んだのだ。

カッツェンバーグはその頼みを聞き入れ、ウォルト・ディズニーの死去以来長らくの低迷から立ちあがってきたばかりの、ディズニー・フィーチャー・アニメーション社へ私を派遣してくれた。行ってみると、そこには私よりも先に〝覚書〟が到着していて、アニメーターたちはすでに自分たちのストーリー・ボードに〈ヒーローズ・ジャーニー〉のステージの概略を書きだしていた。

〝覚書〟は、私がＵＣＬＡの公開講座のライター・プログラムで教えはじめたときにも、参考資料として役にたってくれた。アイデアをもっと全体的にふくらませ、事例を追加し、ページ数も一二ないし一四ページ程度に増えた。〈原型〉に関する題材も加えた結果、一冊の本ができそうな量になったため、もともと七ページだった覚書は、『神話の法則』という本になったというわけだ。

そうこうしているあいだも、デイビッドと私は年に一、二度顔を合わせ、一緒に古い映画を見たり、ストーリー部門の仕事で学んだことや、自分が読んだ興味深い作品の情報交換を続けている。執筆プロジェクトを共同でやったりしながら、いまも物語を学び、そこに存在するあらゆる驚異に興味をかきたてられている。デイビッドは、常日頃私が思っていたとおり、すばらしい教師の才能を発揮するようになり、映画や物語や人生に対する洞察力で、しょっちゅう私を驚かせている。

あるとき私たちは、物語について長年話したり考えたりしてきたことを、そろそろ本にしてみてもいいんじゃないかと思いたち、そして今回、実現の運びとなった。ここからは、ツールキットをあけ、中身を見ていくことにしようと思う。

第1章　テーマを持つ

ボグラー

ストーリーを練っているとき、自分自身に問いかけなければならない最も重要で基本的な質問は、「自分のテーマはなんだろう?」だ。テーマとは、自分の作品の焦点を鮮明にするためのツールである。物語の中心に、すべての場面で追究しなければならない特定のアイデアや人間の性質を置き、その周辺に物語を組み立てていこうとするときに、その設計に一貫性を持たせてくれる。

実のところ、自分が書こうとしている物語はなんの話なのだろう? マクベスはたくさんの人々を殺して王になったスコットランドの領主のお話です、というたぐいの説明はいらない。物語の感情の世界を、ひと言で定義してみてほしい。『戯曲執筆の技巧(The Art of Dramatic Writing)』の著者でもある劇作家のラヨシュ・エグリの言葉を借りれば、『マクベス』のテーマは〝野心〟、すなわち支配への衝動である。

新作映画やテレビ番組の役者や監督がインタビューを受けるとき、「これはX、Y、あるいはZについての物語です」と言うのを聞いたことがあると思う。信頼、慈悲、裏切り、友情、冷酷さといった言葉が使われるが、それがなんであれ、ストーリーについて多くを伝える言葉が選ばれているはずだ。ストーリーをたやすく要約できるまで、長い時間をかけ、必死にその物語について考えてきているからこそ見つかる言葉だ。

〝テーマ〟は、〝前提〟という言葉にも置き換えが可能だが、本章のストーリー議論では、〝テーマ〟とは物語全体を統一する要素となっている、なんらかの人間の衝動や性質を言いあらわすひとつの言葉である、と定義しようと思う。そして〝前提〟は、それをさらに発展させて短い一文とし、テーマとなっている人間の特質について創り手がどう考えているかを具体的に示すものとする。前提は、ときには機械的な数式の形でもあらわせる。Xの行動がYという結果を招く、というふうに。

テーマはもともと〝置かれたもの〟の意で（語源はギリシャ語）、計画や堆積《たいせき》物などを意味する。前提《プレミス》（ラテン語が語源）は〝前へ送られるもの〟の意で、これにも計画の意味が含まれる。論理学における前提とは、提案や主張のことで、最初に置かれる一連の考えであり、ほかの考えはすべてこれに頼ることになる。

『マクベス』のテーマが野心なら、シェイクスピアの前提は、ある種の野心、つまり無情な野心であり、避けがたい破滅を招くものである。この芝居は、場面が進むごとにそれが証明されていく。

マクベス自身にはそうは見えず、見えたときにはすでに手遅れだ。マクベスが人生を動かす前提は、〝無情な野心が必然的に王になる道を示す〟というものだ。物語が〝自分の欲しいものではなく、自分に本当に必要なものを求めよ〟という永遠の教訓を伝える明らかな例である。マクベスには、〝慈悲に抑制された無私の野心が、長く幸福な支配をもたらす〟という別の前提を選ぶこともできたはずだ。しかし、なんとしても王になりたかったマクベスは、残っていた人間性も最後にはすべて自分から切り離し、破滅への道を確実にしてしまう。

私は、第一幕の早いうちから、会話の台詞《セリフ》にテーマや前提をはっきり示すことを好むたちだ。主人公が声高に口にする願い、あるいは別のキャラクターが提示する人生への意見として示すこともある。主人公が受け入れるか反発するかはともかく、そのテーマは残りの物語全体に反響しつづける。ひとつの問いとして、その後の場面に残りつづけるのだ。テーマはあらゆる形で試練にさらされ、創り手は、前提と一致する、または対立するさまざまな議論を追究していくことになる。たとえば、ひとりのキャラクターが傷心の恋人をなぐさめ、前提の主張となる台詞として、「心配するな、愛はすべてに打ち勝つよ」と言うとする。その思想は、愛とは罠《わな》だ、愚か者の幻想だと皮肉に信じているキャラクターたちから、よってたかって反論される。最終的には物語は前提に回帰し、新たに学んだことを反映させて主張を言いかえたり、ただ単純に主張をくり返したりはするが、物語が特定の人間の性質について伝えた教訓によって、もっと深い理解に到達することになる。

テーマや前提がそこまで公然と示されない場合もある。台本のなかには、ある言葉やフレーズや状況をくり返すことによって、ただ私たちの意識にぼんやりとテーマを漂わせるだけのもののもある。私はかつて、これといってテーマや前提が見られないアクション映画の台本をリライトしたことがある。劇的な場面も感情的な高まりもない、ただアクションシーンが続くだけの物語だった。苦心してどうにか七〇ページばかり書きなおしたところで、私はあ

映画『レスラー』のテーマはなんだろう？　まともな生活をしようとしていた孤独なアンチヒーロー的主人公が、ヒーローの栄光の炎に飛び込んでいくことこそ真の自分の姿だと覚悟を決める。テーマは贖罪《しょくざい》だと言う人もいるし、高潔さだと言う人もいる。“おのれに忠実であれ”。読者の皆さんはどうお考えだろう？

る一定の台詞がさまざまなキャラクターの口からくり返し出ていることに気がついた。「自分の直感をこれ以上信じることができない」「この件については私を信用してほしい」「どうしたら君を信頼できるってわかるんだ？」不意に私は、この映画のテーマを〝信頼〟にして、いきなり戦いに投げ込まれた実績のない若い女性警官の話にするのはどうだろう、と考えた。すぐに最初の場面に戻り、信頼についての言葉を書き加え、若い女性警官が自分の直感をいかに信じられないでいるかを表現してみた。そのまま書き進めながら、どの場面でも信頼というテーマを探るようにした。前提は〝自分を信頼することがほかの人間の信頼をも勝ちとる〟とした。悲しいかな、この映画は製作にいたらなかったものの、テーマと前提を統一すれば、台本はもっとまとまったドラマティックな作品になるのだと初めて実感した体験だった。

テーマと前提を認識していれば、全体の芸術的手法の選択は、もっと楽で明確な作業になる。物語の本質を理解し、言いたいことがなんなのかわかっていれば、どんな雰囲気や感情を生みだせばいいかもわかるし、セットをどんな色にするか、ペースはどうするか、どんな音楽を使うかも考えやすくなる。作品に有機的で首尾一貫した感覚が生まれ、相互のつながりや目的意識が生まれ、ひとつの背骨、中心となる神経系を核にして組織化された生物のように生き生きとしてくる。

物語の本当のテーマや前提を構築しているあいだは、気が変わってもかまわない。物語がかなり進むまでは、テーマがはっきりしてこないこともあるし、進むにつれ、最初に考えていたテーマが物語の本質に反映されずに終わることもある。それでも脚本家や演出家は、遅かれ早かれテーマや前提をしっかり決めなければならないし、それができれば、脚本や作品全体がまとまり、芝居の論点を支えるようになるはずで、あとはそこに登場する人間的状況の要素を観客の評価に委《ゆだ》ねるだけである。

考えてみよう

自分の人生のテーマをひと言で言うとすればなんだろう？　自分の前提を一文であらわすとしたら？　自分が変えたいことは何かあるだろうか？

あなたのお気に入りの映画や小説のテーマをひと言で言ってみよう。一文の前提ではどうだろう。それをさらに詳しく、人間の性質に関する強力な見解として表現できるだろうか？

マッケナからひと言

本書は〝二人芝居〟の形式をとり、クリスが書いた章に対しては、僕も折に触れコメントをしていくつもりだ。クリスのほうも同様だ。

クリスと同じで、僕もよく、映画脚本家のクライアントに評価をフィードバックする仕事をしている。〝テーマ〟ツールは、その場で信頼を築き、先に進む道を提供するのに役だつツールだ。僕がクライアントの書いたストーリーを基本から理解していると相手にわかってもらえれば、信頼感が生まれ、リライトのスタート地点も見つかりやすい。

最近、弁護士から転身した映画脚本家に台本の分析を頼まれた。かつて弁護を担当した、画期的な事件を扱っているという。確かに法的な問題を巧みに描いてはいたが、よく練られたドキュメンタリーみたいで、感情面で人を惹《ひ》きつけるドラマにはなっていなかった。僕は脚本家に、この事件は知的な面では僕を魅了するけれど、感情的な充足感ということでは物足りない、と言った。もっと興味をそそるテーマが欲しい。そして、弁護士を扱った自分の好きな映画（『或《あ》る殺人』、『エリン・ブロコビッチ』、『評決』など）のテーマについて話しあい、これらの映画が感情にも訴えるのは、法的な題材が、よくできた個人的な物語で味つけされているからだと考えた。

『エリン・ブロコビッチ』のトレーラーハウス暮らしの主人公エリンと、金持ちで堅苦しい同僚たちとのあいだにテーマ的な衝突がなければ、この映画で扱われる工場汚染も、観客にとってはどうでもいいことじゃないだろうか？　『評決』の脚本家のデイビッド・マメットにしても、医療ミスの事例を巧みに描いてはいるが、この物語が観客の心に残るのは、酒飲みの弁護士が冷淡な組織と闘い、自分自身の魂を取りもどしていく物語があるからなのだ。

僕たちがこうしたテーマを見つけだしたのは、クライアントのひと言がきっかけだった。クライアントが僕に、この裁判の弁護は自分がかつて経験したこともないような重い責任を感じる仕事だった、と言ったとき、僕は、これだ！　と思った。

責任というテーマを、この脚本全体に織り込むことはできないだろうか？　きっとできる。実のところこのテーマは、すべての重要な場面にひそみ、僕たちが見つけだすのを待っていたかのようだった。第二の、これだ！　だった。

隠れていた場所からテーマを誘いだしたら、新たなアプローチは自然にまとまっていった。脚本は、もはや法の問題提起を追っていくだけのものではなくなった。キャラクターたちがそれぞれの人生で責任に直面せずにはいられなくなる、劇的な見せ場の連続となっていった。

何週間かして、クライアントは新しい草稿を完成させた。画期的な告発、そして、そこに関わる人物全員の運命が変容していく姿を描く、無駄のないリーガル・サスペンスとなった。テーマというとても単純なツールのおかげで、ただの事実をドラマに発展させることができたのだ。

第2章　〝求めるもの〟リスト

マッケナ

「書くことには三つのルールがあるが、それがなんなのかは誰も知らない」

——W・サマセット・モーム

これは二十世紀最高の物語作家のひとりである人物の言葉だが、僕は教師として謙虚になるために、この言葉を自分の胸に刻み込んでいる。人がどうやって芸術を生みだすのか、僕にはわからない。その謎を解くには、インスピレーションや切磋《せつさ》琢磨《たくま》、それにこの本に載っているようなルールに従うだけでは学べない、漠然とした何かが必要なのだ（本書の出版社から不平が聞こえてきそうだが）。

ありがたいことに、職人芸は教えることが可能だ（芸術的手腕を教えるのは無理でも）。職人芸には厳しいルールというものがあるが、芸術家はこのルールを飼いならすことができる。賢明な芸術家は、こうしたルールのある〝基礎訓練〟を身につけてから、そのルールを自分でいじりまわす。

しかし、職人芸の〝基礎訓練〟に甘んじたりせず、手ほどきも受けない自称芸術家がまっすぐ飛び込んでくるような世界にも、そこのやりかたというものはあるのだ。

僕の通ったドラマ・スクールのクラスメイト、そして僕自身も、こと訓練に関しては、あまり賢明ではなかった。演技を学ぶ僕たちのような学生は、情熱的な衝動を抱え、知恵というものを信じない人種だった。若々しい元気のよさと、生徒によかれという意思を持つ先生のために、僕たちはいろいろな場面を演じた。大半は本当にひどいものだった。

僕たちの演技にうんざりした先生は、批評セッションの最初に、よくひとつの単純な問いかけを口にした。「君のキャラクターは何を求めているんだ?」いろいろな場面が演じられるたび、必ずそう質問された。まずたいていの場合、学生は口ごもったり、困って笑ったりした。いつまでたってもなくならない僕らの無学さは、本当に滑稽《こっけい》だった。

こういう伝統は、いまだに続いている。僕も演技クラスで教えたりするようになり、無数の演技シーンを見てきた。かつて僕を教えた教師と同じように、僕も必ずと言っていいほどこの質問をする。「この場面で、君の求めるものはなんだ?」何十年か前の僕やクラスメイトのように、僕の生徒も自分の靴をながめ、「よくわかんないな」といったことをぶつぶつとつぶやく。

さて、職人芸の基礎訓練に話を戻そう。ここで、読者の皆さんと僕自身とで(大半は読者の皆さんでやってほしいが)、〝求めるもの〟リストを作っていこうと思う。まずたいてい同じ質問をされるのはわかっているのだから、少なくともその返答らしきものを用意しておけば、少しは〝A〟をとる生徒らしく見えるはずだ。

人々は何を〝求める〟のか？　基本から始めよう。食べ物、服、隠れられる場所。この基本的な欲求から物語を創ることはできるだろうか？　もちろんできる。ブレイク・エドワーズ監督の『ビクター／ビクトリア』の主人公も、この三つに動かされているはずだ。

話を広げよう。アルコール依存症患者は酒を求める。『リービング・ラスベガス』のニコラス・ケイジに聞いてみるといい。罪人は贖罪《しょくざい》を求める。たいていの人間は、愛や認められることを求める。『ブレイブハート』のウィリアム・ウォレスは自由を叫んだ。ミック・ジャガーは、何十年たっても、満足《サティスファクション》を手に入れることができない。シンディ・ローパーが、〝女の子たちはただ楽しいことがしたいだけ《ガールズ・ジャスト・ウォント・トゥ・ハブ・ファン》〟だと言ったことも、よもやお忘れではあるまい？

実際、ポピュラーソングは〝求めるもの〟の教科書みたいなものだ。『フェーム』の若者たちは〝永遠に生きたい《ウォント・トゥ・リブ・フォーエバー》〟と思っている。アレサ・フランクリンが求めているのは〝R-E-S-P-E-C-T（リスペクト＝尊敬）〟だし、『お熱いのがお好き』のマリリン・モンローは、「あなたに、ただあなたに、ほかの誰でもなくあなたに愛されたい」と思っている。しかしこれが『危険な情事』のグレン・クローズとなると、〝求めるもの〟は単純だが、それがとんでもなく恐ろしいことになる。

『ゴッドファーザー』のマイケル・コルレオーネは家族を求め、それを守るために人殺しも厭《いと》わない。それがマイケルの悲劇じゃないだろうか？　伴侶《はんりょ》や子どもを求める人々もたくさんいる。それを手に入れるためには、どんな劇的な行動が考えられるだろう？

たぶん上品とは言えない話になるが、人が性的に〝求めるもの〟を満たそうとするときは、たいてい愚かな真似をするものだ。メアリー・チェイスの喜劇『ハーヴェイ』には、自分の手を優しく叩《たた》いて「よし、よし」と言ってくれる女の子と一緒に、ただ木の下に座ってビールを飲みたいと願う脇役が登場する。大したことではないかもしれないが、これでもB級のプロットは成立する。

個人差はあるにせよ、金銭も多くの人々を駆りたてる要因だ。次から次へと現れて世界を支配しようとする悪党がいなければ、きっとジェームズ・ボンドも暇になっているにちがいないが、ジェームズ・ボンド自身は、外国産のタバコ、破壊力のある危険な女たち、そしてステア（軽くかき混ぜること）でなくシェイクしたマティーニがつねに飲める境遇に満足しているようだ。考えたら、そういうものは僕もちょっと欲しいかもしれない。

スポーツのチームは優勝を求めている。その達成のために、チームが何を犠牲にするかを描いた映画も大量にある。

ブロードウェイのミュージカルの大半は、〝自分は〜を求めている〟という歌で始まる。この歌が主人公の欲求を宣言する聖歌となり、その後の場面でその望みが形を変えたり、試練にさらされたりしていく。『美女と野獣』のヒロインのベルは、本に出てくるような冒険的な人生に憧《あこが》れていることを歌で表現する。『マイ・フェア・レディ』のイライザ・ドゥーリトルは、大きな椅子のある、どこかの〝素敵《ラバリー》〟な部屋を求めている。ミュージカル版『キューティ・ブロンド』の曲『オーマイゴッド・ユー・ガイズ』は、エル・ウッズが求めるものはワーナーとの結婚であることを伝え、そこから先はその欲求を追い求める物語が続いていく。

ほかにも〝求めるもの〟はあるだろうか。きっとあるはずだ。出世、名誉、承認、勝利、家、世界の平和、友情、平穏、孤独、知識、知恵、洞察、答え、神とのコミュニケーション。いくらでも出てくるだろうし、どれも物語の安定基盤となりうる。

物語作家としてのわれわれにとって、〝求めるもの〟のリストは、つねにメンテナンスの必要なツールで、職人の道具箱からすぐ出せるようにしておかなければならない。誰かが何かを求め、手に入れるために動きだすまでは、物語は始まらない。〝求めるもの〟を持つキャラクターがいれば、物語にすぐ使えるアドバンテージとなる。

この作業の補助となるよう、最近、僕の生徒たちに〝求めるもの〟リストを書きださせてみた。以下に一覧にしておく。とはいえ、自分のリストもぜひ作ってみてほしい。一度作ったら、自分の道具箱に入れて使ってほしい。

〝求めるもの〟リスト

愛
金
喜び
証明（承認）
安全
復讐《ふくしゅう》
安定
権力
勝利
自由
受容
名声
贖罪
敬意
冒険
神
真実
正義
お国柄を反映したやりかた
変化
注目
平和
セックス
幸福
家族
不老不死

コミュニケーション
生き残り
知識
知恵
ドラッグ
逃亡
よい物語
才能
確信
家
正常さ
興奮
インスピレーション
楽しさ
独立

忘却
記憶の再生
遺産
進歩
許し
友情
死
流行／美
制御
アイデンティティ
仲間／仲間意識
孤独
アドレナリン／解放感
ロックンロール（ドラッグ、セックスとも関連）

ボグラーからひと言

私は最近、コロンビア大学でデイビッドの教える授業のひとつに出席させてもらい、デイビッドやその生徒と一緒に、生徒たちの書いた映画脚本の場面の批評をやった。私たちは何度も同じ質問をした。このキャラクターが求めているものは何か？　それが決まるまでは、台本も場面も薄っぺらで雑然としたままで、筋が通ったものにはならないのだ。

私も自分で〝求めるもの〟リストを作っていて、人生を通じて人を駆りたてる物事に序列をつけている。自分では気づいていなくても、人はなんらかの大きな方向性に従って人生を生きているもので、どんな人間も、自分の標準的な欲求リストからその方向性を選びとっている。それぞれの人間、そして物語のなかのそれぞれのキャラクターは、意識的かそうでないかに限らず（無意識であることのほうが多いが）、そのリストから自分の行動を駆りたてる衝動をひとつ選んでいる。それほど重要ではないほかの衝動も存在はしているが、通常はひとつの衝動がその人を支配する。たとえば、自分は何をおいても自分の道を進みたい、どんな犠牲を払っても目だちたくない、いつでも最終決定権を持ちたい、金持ちに見られたい、いつでも安全を感じすべてをコントロールしたい、ほかの誰とも違う人間になりたい、などといったことだ。

物語はこの選択に大いに関心を持つ。自分の習慣として無意識に序列をつけた衝動を、たえず見なおさなければならない主人公も多い。物語の結末でその衝動を勝利に結びつけた人間は、リストを入れ替え、愛や友情などの別の衝動を前面に出してくる。私自身、かつては〝みんなに好かれなければいけない〞という衝動で動いていた時代があり、誰かを怒らせたりしない、たとえ自分に損があろうともほかの人たちを楽しませなければならない、とずっと考えていた。だが、私の人生の物語は、私に教訓を与えてくれた――ほかの誰かを楽しませたいという欲求は、まちがったことではないが、人生にわたってずっと続けていくのは難しい。その教訓を得て、私は自分に満足することを学び、私を愛するか憎むかは他人に任せることを覚えた。

第3章　重要な取引は何か？

ボグラー

ハリウッドはのるかそるかの業界で、めったに何かを教える時間など割いてはくれないが、私は自分のキャリアの初期、オライオン・ピクチャーズのリーディング担当者をやっていたころに、有益な教えを受けた経験がある。あるストーリー編集者がリーディング担当者ミーティングの席上で、あなたたちは誰ひとりとしてシーンというものの意味がわかっていない、と告げたのだ。私は驚いた。わかっていたつもりだった。シーンとは、映画の短い断片で、ある場所で一定の時間に起きたある動き、そこに与えられた情報を描いているものだと思っていた。しかしその編集者は言った。違います。

彼女は、シーンというのは〝ビジネス取引〟の場なんだと説明した。金は絡んでいないかもしれないが、キャラクターのあいだでの政治的便宜、もしくは権力のバランスの変化がつねに絡むものなのだと。二人かそれ以上の人物が、そこにある一種の取引の処理に介入し、交渉なり闘いなりをくり広げる。新しい契約が結ばれた時点で、そのシーンは終わらなければならない。

ときには長きにわたって確立されてきた権力構造がひっくり返ることもある。低い地位の側が、脅迫状を使って権力をつかむ。人々が独裁者に謀反を起こす。人が人間関係を断ったり、耽溺《たんでき》していたものを乗りこえたりする。

あるいは、新たな同盟、もしくは敵対関係が形成される場合もある。たがいに憎みあう二人の人間が、危険な状況で手を組むことも新たな取引だ。若い男が若い女をデートに誘い、女は男の申し出を受けるか拒むかする。二人のギャングが別のライバルを消すために協定を結ぶ。保安官が暴徒に強要されてひとりの男を裏切り、リンチへと発展する。

シーンの内容は、新たな取引に到達するための交渉であり、取引が成立すればシーンもそこで終わりだ。新しい取引がなければシーンもない。少なくともそういったシーンは、脚本上重要なものにはならない。カットしてもいいシーンとされるか、なんらかの重要な力の交換があるようなものに書きかえられる。

そのストーリー編集者に言わせれば、シーンとは何かを知らない脚本家もおおぜいいて、ただ〝キャラクターを組み立てる〟ために、あるいは話の説明のために、シーンとは呼べないものを挿入してくる。シーンをどこから始め、どこで終わらせたらいいかわからずに、紹介やおしゃべりで時間を無駄にし、取引が終わったあともシーンを引きのばそうとする。シーンは取引なのだ。取引が終われば、舞台からおりなければならない。

この原理はシーンの本質を明確にするのにとても役にたったし、脚本における大きな問題点を、マクロレベルで突きとめる助けにもなることがわかった。どんな物語でも、大きな取引の交渉がくり返され、社会的に対立する権力同士の契約が必要となる。ロマンティック・コメディとは、男女間の契約交渉のくり返しだ。神話や宗教的な物語やファンタジーは、人間と、その世界で戯れるもっと大きな力とのあいだに、盟約を交わそうとする試みなのだ。スーパーヒーローの冒険や、道徳的ジレンマの物語のなかでは、善と悪の不安定なバランスが何度も試される。映画のクライマックスは、新しい合意を説明する法廷の判決であり、悪人への刑罰の宣告であり、誰が無罪であるかの宣言であり、議論されていた取引条件の規定である。どんな状況においても、物語はひとつの契約にたどりつき、新しい契約を発表して終わる。

映画のなかで大きな契約が結ばれるのがどこかを知っておけば、映画がどこで終わるべきかもわかる。最近の映画は、観客にとっては映画が本当に終わっていても、そのあとも長々と続くことが多い。契約の最終条件が決まれば映画は終わりなのに、創り手が余分な装飾やエンディング、一〇年後の話などを挿入したりすれば、観客は落ちつかなくなる。私が幼いころ、ドライブイン・シアターで映画を見ていると、二本立ての映画のラストシーンになる前に、エンジンをかけて走り去ってしまう客がたくさんいたものだ。怪物が殺されたり殺人鬼がつかまったりすれば、映画全体の取引は完了で、主人公が恋人とキスしたり、車で夕焼けのなかに消えたりするのを見る必要はないのだ。〝取引が終われば舞台をおりる〟のは、シーンだけでなく、物語の全体的な構造においても正しいルールと言えるだろう。

マッケナからひと言

〝ボグ（ボグラー）の友人〟でいることの特権のひとつは、彼の火山性の脳が予期せぬ爆発を起こすとき、それをそばで見ていられるということだ。ボグラーの思考爆弾は散発的で、いつ起きるか予測ができない。ときには僕までも長く曲がりくねった旅路を歩かされ、気づけば底なしのウサギの穴にいたということもある。だが、たいていは豊かな鉱脈に出会える旅だ。

〝重要な取引は何か〟は純金に値するルールだ。僕がこの件についてのメールを受けとったのはある朝のことで、僕はその場で、午後の脚本クラスでやろうと思っていた授業計画を放りだすことに決めた。そのメールの内容を印刷し、図書館で適当にＤＶＤを選んで、その両方を使って授業をやった。

僕と生徒たちはそのメールを心にとめてＤＶＤを鑑賞し、すぐさまうまくできているシーンと間延びしているシーンを指摘していった。新しい診断ツールを物語作家の道具箱に加えることができたのだ！　その後、残りの学期中はずっと、生徒が書いたシーンを〝取引〟の面から議論するようにした。全体の執筆レベルはぐんと高くなった。

クリスはこの金塊の存在を教えてくれたオライオンのストーリー編集者の名前を言わな

かったが、僕はぜひともその編集者に、いろいろな賞賛を贈りたいと思っている。

ボグラーからの返答――せっかくなので記録にとどめておこう。編集者の名前はミグズ・リービー、彼女は賞賛に値する人だ。どんな賞賛であろうとも。

第4章　観客との契約

ボグラー

シーンが取引なら、ストーリーはなんだろう？　ストーリーも取引だと答えることもできるが、この場合、シーンのようなキャラクター同士の契約ではなく、物語の作者と観客との契約ということになる。契約条件はこうだ――観客は物語の作者に対し、価値あるものを与えることに同意する。つまり、金銭、そしてそれ以上に価値あるもの、時間を与えるということだ。映画の脚本家は観客に対して、自分に、自分だけに九〇分かそこら注目してくれるように頼むことになるわけで、これが小説家ならもっと長時間になる。よく考えてみてほしい！　ひとつのことに注意を払うことは、この世におけるもっとも貴重で価値ある商品のひとつであり、とりわけ人の注意を惹《ひ》くものがたくさんある現代では、それはなおさらのことだ。二分か三分でも何かに注目することは、大きな賭《か》け金を支払うことを意味するわけで、本や映画のチケットに一〇ドルかそこら払う以上に価値の高いことなのだ。だからこそ、こちらからも本当に良質なものを提供し、契約をまっとうする必要がある。

　観客との契約を満たすには、さまざまな方法がある。これまで私は、拙著『神話の法則』でも説明した〈ヒーローズ・ジャーニー〉のモデルこそ、こうした契約の全体像であり、絶対に必要なものだと考えてきた。死や変身に彩られた人生のメタファー（隠喩《いんゆ》）とカタルシス（浄化）を提供し、観客との契約条件をまっとうするために、このモデルは最も信頼できる方法だといまでも思っている。観客はどんな物語にもこのモデルを読みとる傾向があるし、実際のところ、こうした要素をまったく示していない物語を探すほうが難しいくらいだ。しかし最近は、物語を契約完了まで持ちこたえさせる方法は、これひとつだけではないとも思うようになった。

創り手は最低でも観客を楽しませなければならない。つまり、奇抜なもの、ショッキングなもの、びっくりするようなもの、サスペンスタッチのものに、観客の注目を惹きつけるということだ。感覚的なものを準備しよう。観客の感覚《センス》に訴えるもの、官能的もしくは本能的なもの、スピード感、動き、恐怖、セクシーさのあるものなど、観客が体内器官そのもので感じるような体験を提供するのだ。

笑いも観客との契約を満たす方法のひとつだ。人々は笑いに飢えているので、何度も大声で笑わせてくれる映画は当たる。契約の笑い条項を満たしてさえいれば、物語の多少の馬鹿馬鹿しさや無意味さは見逃してもらえる。一九五〇年代の映画シリーズ『おしゃべりラバのフランシス（Francis the Talking Mule)』を観に行って、心あたたまる示唆に富んだ〈ヒーローズ・ジャーニー〉の物語が楽しめると思う観客はいないし、『アルビンとチップマンクス』を観て人生が変わると期待する人間も皆無だろう。

別の場所や別の時間への移動も、契約を満たすにはいい方法だ。『アビス』の細かいストーリーはあまり覚えていないが、暑い夏の午後、冷たく暗い海の中へ二時間行けただけでも、充分に元は取れた気がする。ジェームズ・キャメロン監督は、『タイタニック』の洗練された世界、『アバター』の魅惑的な世界など、世界そのものを創りだすことにたけている。彼の映画が成功するのは〝私をどこかへ連れてって〟という観客との契約を満たしているからとも言える。

観客の好む映画スターに魅力的なコンビを組ませるという方法は、映画会社が大衆との契約を満たすのによく使う方法だ。あわただしい映画の予告編では、よくこんなうたい文句が登場する。「『アダム氏とマダム』のトレーシーとヘプバーン、『パットとマイク』で再共演！」愛されているスターたちに別のコスチュームを着せることも、エンターテインメント契約を果たすひとつのやりかただ。ラッセル・クロウのグラディエーター衣装を楽しんだ観客は、ロビン・フッドのなりをした彼も観たいと思うかもしれない。

これまでにない目新しい映画も観客を惹きつけ、時間と入場料を投資してみようという気にさせる。みんなが噂している映画、たとえば『サイコ』『クライング・ゲーム』『パルプ・フィクション』『ブレア・ウィッチ・プロジェクト』『パッション』『300〈スリーハンドレッド〉』などについて語りあえるというのは、それだけで価値あることなのだ。この契約条項を遂行するには、奇妙なもの、恐ろしいもの、ショッキングなもの、スリリングなもの、驚くべきもの、そうした何かを映画に織り込めば、作品を観た観客が訳知り顔で人に語ることができる。

エンターテインメント契約の条項を満たす最も強力な方法のひとつとして、観客の多くが心の奥に抱いている願いをかなえるというのがある――『ジュラシック・パーク』は恐竜がもう一度動きだすのを見せてくれるし、『スーパーマン』では空を飛んだりすごい力を使う醍醐味《だいごみ》を味わえ、『トワイライト』シリーズではセクシーなティーンエージャーの吸血鬼に誘惑された気分になれる。おとぎ話とは人の願いに駆りたてられて生まれるものだと気づいたウォルト・ディズニーは、人々が求める健全なファンタジー体験を与えることがディズニー・ブランドの役割だと考え、その願いをかなえる妖精《ようせい》や魔法使いや精霊のキャラクターをたくさん活用した。

ときには、その映画が時代精神やその時期の支配的な空気をとらえているというだけでも、契約がまっとうできてしまうこともある。公開時に起きていた現実の問題と、映画の内容が偶然に一致することもある。原子力発電所のメルトダウンをフィクションとして描いた『チャイナ・シンドローム』は、公開後まもなくスリーマイル島の原発事故が起きたため、一躍誰もが観たがる映画になったというのは有名な話だ。『マイレージ、マイライフ』もすばらしい演技とストーリーを備えた映画だが、何年もかけた準備ののちに公開された時期には、ちょうどたくさんのアメリカ人が仕事を失う状況に直面していた。国じゅうを飛びまわって人を解雇する企業投資家の物語は、観客の心に触れた。逆に、公開時期に起きた出来事が、映画をだいなしにしてしまうこともちろんある。九・一一のテロのあと、高層ビルが攻撃され破壊される場面があるからという理由で、お蔵入りになった映画もずいぶんある。その時期の観客は、そうした契約を求めていないと見なされたということだ。

最初のうち、策略や取引がすべてだと言わんばかりのこうした考えかたには、私も抵抗していた——映画は単なるビジネスじゃない部分もあるだろう？　と。だが、やがて私も、ある意味ではそうかもしれないと思いはじめた。そもそも、聖書が神とその創造物との契約や取引を綴《つづ》った書物なのだから、キリスト教徒のわれわれは契約によって生きているとも言える。人は誰しも、自由やそれなりの安全を見返りとして、まともなふるまいをすることが求められているし、こうした取り決めは、人が社会全体と結んだ暗黙の取引、すなわち社会契約と呼ばれている。われわれの文明における不可欠な文書は、契約、協定、新しい取引条件の宣言という形をとっており、ハムラビ法典や婚姻前契約から基本的人権まですべてがそうだ。ストーリーを書くときは、ひとつひとつのシーンに対し「ここでなんの取引が動いているだろう？」と、ストーリー全体に対しては「何が重要な取引だろう？」と問いかけてみよう。顧客、つまり観客の関心や時間について考え、契約を遂行すること

『マイレージ、マイライフ』は、魅力的で複雑なキャラクターや良質のストーリーによって契約を遂行しているが、この作品が成功したいちばんの要因は、時代精神をとらえたという点だろう（セントルイスのランバート国際空港ターミナルビルの近未来的な設計がフィーチャーされただけでも、私個人にとっては思い入れの深い映画である。私の父がこのコンクリートのアーチを建てる仕事に加わっていたのだから）。

に努めよう。最低でも彼らを楽しませたり、願いをかなえたり、刺激を与えたり、関心を惹いたり、あるいは観客を少し変えるようなものを提供できるようにしてみよう。

マッケナからひと言

僕のコロンビア大学のボスに、アネット・インスドーフという人物がいる。何年か前、彼女は僕に、映画監督研究の一四週間コースを創設してくれないかと頼んできた。どの監督を授業のテーマに選ぶかで少しのあいだ迷ったが、ふと、プロデューサー兼映画監督兼作曲家兼映画スターであるクリント・イーストウッドの長い経歴について、コロンビア大学ではまだ誰も論じたことがないということに思い当たった。それで彼を選んだ。

あと何週間かでそのクラスが始まろうというころ、アネットが業界の催しで、たまたまミスター・イーストウッドに出くわした。アネットがクラスのことを話したところ、イーストウッドは例のごとく目を細め、甘いうなり声を漏らし、こう言ったそうだ。「その先生に、生徒たちを退屈させるなと伝えてくれ」

つまり、これぞ観客との契約というものだろう（クリントが映画製作業界の伝説的地位にいる鍵《かぎ》も、きっとそこにある）。

第5章　両極の対立

マッケナ

先日、ワークショップ・セッションのときに、ひとりの学生ライターが、自分のストーリーの出だしを見せてくれた。基本的に仲のいい二人の姉妹を題材にしたもので、最初から最後まで調和した関係が続く。

書けたのはそこまでで、この学生はそれ以上物語が発展せずに困っていた。そこで僕は、二人のキャラクターの類似ではなく、両者の違いを考えてみてはどうかと言った。

僕が彼女に使ってみるように言ったのは、〝両極性〟ツール、つまり、ストーリーテリングで正反対のものを扱うツールだ。

〝両極性〟を求められたこの学生ライターは、姉妹のうちの姉のAを我が強く保守的な性格にし、妹のBは、もっと情に厚く、冒険心が強いキャラクターにした。上々のスタートだ。われわれは、支配的な女性である姉Aが、（ストーリーの最初では）妹につねに依存し、信頼できる腹心と見なしているということにした。

〝両極性〟ツールを使うと、物語を牽引《けんいん》する力となる、対立図式の基盤を生みだすことができる。

このライターは、上流階級の豊かさや特権を背景としたロマンスを書きたがっていた。ここでわれわれはいろいろなツールを使い、上流階級の特権は、長年にわたる伝統や、贅沢《ぜいたく》な現状を維持するための決まりごとに縛られたものに違いないという推測にいたった。支配的な姉のAは保守的な人物なので、こうした決まりに従い、それを守ろうと努めているはずだ。ここに両極性を加えることにより、妹のBは革新的な性質を秘めた、危険な道に入り込むかもしれないキャラクターとなった。

妹を誘惑するものはなんだろう？　現状をおびやかし、二人の女性を引き離そうとするものはなんだろう？　下層階級出身の、浅黒い肌のハンサムな男？　姉のAなら、伝統を重んじる観点から、すぐこの男を従属的な地位の人物に分類するだろう。だが、妹のBなら、男の生来の魅力を見抜き、恋愛関係の可能性に惹かれるかもしれない。見つけたぞ《エウレカ》！　われわれはストーリーを見つけたのだ！

不可欠なツール

〝両極性〟ツールは、優れた劇作の職人たちなら誰もが重視するツールのひとつだ。物語の最も基本的なレベルに二つの対立した勢力を置き、身体的、感情的、哲学的な闘い（すなわち〝相互アクション〟）に向かわせ、対立が解消するまでそれを続ける。対立は普通、両極の一方が勝利をおさめるか、最初のうちは存在しなかった新たな何かが両陣営によって生まれてくるまで続く。

『パルプ・フィクション』——二人のキャラクター、二つの極

クエンティン・タランティーノの『パルプ・フィクション』を題材にとり、クレジットのあとのオープニング場面を使って検証してみよう。最初のうち、カープーリングで一緒に働くジュールスとビンセントは、似たタイプのビジネスマンコンビに見える。ビンセントが最近行ったヨーロッパ休暇のことを話しているが、二人の会話は実に平凡だ。しかしタランティーノは、この二人を両極の個性を持った人物、自分の道徳寓意《ぐうい》劇の対立勢力として扱っている。両者の違いは、女性の足のマッサージをするのは性的な行為かどうか、二人が言い争うあたりから出てくる。この活発な討論が、同類の同僚に見えかねない二人のあいだにある対立図式を生みだしていく。

両極の対立は、鍵《かぎ》となる劇的な出来事でさらに明白になる。ジュールスとビンセントは、部屋にいる悪党たちを射殺するミッションを遂行する。そこへ、見たことのない敵がどこからともなく部屋に現れ、拳銃《けんじゅう》を乱射する。信じがたいことに、なぜか弾丸はジュールスとビンセントに当たらない。

この重要な場面で、ビンセントは自分たちは幸運だと主張する。ジュールスはこの言葉に同意せず、自分たちは奇跡に救われたんだと言い張る。二人のキャラクターはテーマ表現上の対立関係にあり、両極の議論は脚本の動きとぴったりと連携している。『パルプ・フィクション』はこんな疑問を投げかけてくる――人間はただ単に、偶発的な幸運や不運に従って生きているだけなのだろうか？　それとも、われわれがすぐにでもコミュニケートできる、もっと大きな力が存在するのだろうか？

『パルプ・フィクション』のテーマになっているこの疑問は、どのシーンにおいて

この『白雪姫』の場面ほど、明白な両極性を示すものはない。白雪姫と女王の両極は、何をあらわしているのだろう？

もさりげなく論じられている。逃げようとするボクサーのブッチが、通りでマーセルスに出くわしてしまうのは、運なのか、それとも神の仕業なのか？　ブッチがマーセルスを悪辣《あくらつ》な銃砲店の店主から救いだし、マーセルスから許しを得るのは、ただの幸運なのか、聖なる力によるものなのか？　ブッチが父親からもらった腕時計を置いてきてしまったのも、運命の力だったのか？

タランティーノはこの疑問に強い感情を持っているらしい。ビンセントとジュールスがどうなったかを見ればわかる。幸運を信じるビンセントは、あやうく死にかけたその夜をしのぎ、マーセルスの妻とともに生きのびる。だが、銃を持っていたブッチにトイレでつかまり、そこで運は尽きてしまう。神を否定したビンセントは、ほかの誰かの物語における従属的なキャラクターになりさがり、そして死ぬことになる。

神への信仰は、両極のもう一方のキャラクターに、超人的な能力を与える。武器も持っていないジュールスは、信仰のおかげで、ダイナーで誰かを殺そうとしている頭のいかれた殺人者のリンゴ、それにリンゴのひどく精神不安定なガールフレンドのハニー・バニーを説得し、そればかりか、この人殺しカップルに自分の財布を返させ、マーセルスの謎のスーツケースをも取りもどすのだ。

タランティーノが生みだしたこのテーマ芝居では、聖なるものへの信仰は支配力や手際のよさを導き、幸運しか信じない者は偶然の出来事に左右されると訴える。

物語における両極の対立を意識するようになると、ストーリーからも逸脱しなくて済む。観客がどちらか一方を応援したり、両極の対立が結末までに新たな可能性を導きだすことを願うあいだ、そこから生まれるサスペンスが話を引き締めてくれる。

『マディソン郡の橋』――ひとりのキャラクター、二つの極

両極性は、ひとりのキャラクターのなかに見られることもある。クリント・イーストウッドの『マディソン郡の橋』のフランチェスカは、アイオワの農家の愛らしい妻で、平凡な人生を送る夫や子どもたちを支えている。だが、フランチェスカは祖国を離れたイタリア女性でもあり、その魂には音楽やロマンスが宿っている。彼女の内面には両極の対立が存在している。

脚本のリチャード・ラグラベネーズは、フランチェスカの家族を一時的に引き離し、彼女の〈日常世界〉を少し変えたうえで、この両極性を劇的に表現しようとした。ラグラベネーズはこの世界に、各地を旅するカメラマンのロバートを出現させ、フランチェスカの

戸口に不倫ロマンスの可能性を匂わせる。彼を遠ざけようとする良妻のフランチェスカ。彼を誘惑しようとするロマンティストなイタリア女のフランチェスカ。彼女の内面の両極性は、どちらが反応するのだろう？

映画がクライマックスに突入するころ、恋人となった二人は、これからどうするか決断を迫られる。フランチェスカは農家の妻の役割に戻るが、彼女のなかのロマンティストな部分は生きつづける。もうこれまでのフランチェスカではなくなっている。彼女に刺激を与えたロバートのほうも同じだ。フランチェスカに出会う前のロバートは、人生の一瞬一瞬をただ受け入れて生きてきた男だった。ロバートはフランチェスカを置いて去るが、彼女はロバートの胸に一生生きつづけ、心の故郷となっていくのである。

『マディソン郡の橋』が大ヒットしたのは、複雑かつ明瞭《めいりよう》な両極性のおかげと言える。ストーリーの始まりには存在しなかった何かが、両極が組みあわさることで生まれたのだ。

〝両極の対立〟ツールの重要な点は、このツールを適用することで、生産的な疑問がいろいろ出てくるということだ。こうした疑問が、物語作家を前進に駆りたて、インスピレーションから浮かんだイメージをドラマ構造に練りあげる助けとなってくれる。

考えてみよう

1　吸血鬼ものの映画の〝両極の対立〟はどこにあるだろう？　『スター・ウォーズ』シリーズでは？　『セックス・アンド・ザ・シティ』では？

2　考えられる両極の組み合わせを20個リストアップしてみよう（正直と欺瞞、緊張と平静、柔軟と頑固など）。リストができたら、それぞれの組み合わせから、物語や対立図式を考えだしてみよう。

3　あなたの人生にはどんな両極性があるだろうか？　家族のなかでは？　身近な社会のなかでは？　あなたの住む地域や地方では？　あなたの国では？　そこにある両極の対立から、物語のアイデアをひねりだせないだろうか？

ボグラーからひと言

両極の対立という考えかたは、デイビッドと私が最初にストーリーテリングの原理として認識したもののひとつだ。人の性質の正反対な面を映画や芝居で表現するのは楽しいものので、シェイクスピアがヘンリー五世とフォルスタッフという対照的なキャラクターを通じ、騎士道を探求したのもそれと似たことだったかもしれない。物語の両極性については、私も『神話の法則』の第三版（米国版）で取りあげ、磁気や電気の極を引き合いに出しつつ、両極がときどき一時的にひっくり返ったり、キャラクターが心地よい場所からコミカルに、あるいはドラマティックに追いだされたりすることもあるということを説明しておいた。

デイビッドと私がストーリーテリングのツールとしての両極性に惹かれるのは、私たち二人もさまざまな面で両極にあるからなのかもしれない。デイビッドは、私よりも物事をきちんとしたがるたちで、特に締め切りに対する私たちのアプローチは対照的だ。デイビッドは「原稿や仕事が来たらすぐ取りかかれ、それからリラックスだ」という主義だ。私のほうは、「まずリラックス、仕事はぎりぎりまで後まわし」だ。二人で共同作業をしているときは、この違いがほどよい緊張感を与えてくれるというわけだ。

第6章　すべては〝覚書《メモ》〟から始まった

――『千の顔をもつ英雄』実践ガイド

ボグラー

『神話の法則』の下地となったオリジナルの七ページの覚書《メモ》を欲しがる人は、いまもときどきいる。

何年ものあいだオリジナル版の行方はわからなくなっていたので、その後手を加えて長くなった改訂版を送るか、私の著書の最初の章にそのメモについて書いたので読んでほしいと言うしかなかったのだが、みんなその解決策ではあまり納得してくれなかった。まるで、私の信条を手短にそっけなく書いただけのオリジナル版には、魔法の言葉が書かれているとでも信じているかのように。

私が〝『千の顔をもつ英雄』実践ガイド〟と呼んだ〝伝説の七ページのメモ〟を誰もが欲しがったが、オリジナルの短い原稿はどうしても見つからなかった。つい最近まで。

家やオフィスをさんざんかきまわし、大量のファイルや箱を捜した結果、私はついに粗雑なオリジナルの〝メモ〟を発見した。

人々が信じている魔法の力がいくらかでもあることを祈りつつ、ここに転載してみようと思う。

(編注：七ページとは、恐らく英文でＡ４用紙七枚分のこと。本書邦訳では二六ページになる)

ジョーゼフ・キャンベルの『千の顔をもつ英雄』実践ガイド

クリストファー・ボグラー

〝人間の物語は二つか三つしか存在せず、それを誰もが、いままで一度も起きたことのない話のように、何度も熱心にくり返しているのだ〟

――ウィラ・キャザー

はじめに

長い目で見てみれば、二十世紀で最も影響力のあった書物のひとつは、ジョーゼフ・キャンベルの『千の顔をもつ英雄』（人文書院、一九八四年）になるのかもしれない。

その本、そしてそこに書かれたアイデアは、ライティングやストーリーテリングに大きな影響を与えているが、何よりもその影響を受けているのは映画製作だろう。ジョン・ブアマン、ジョージ・ミラー、スティーブン・スピルバーグ、ジョージ・ルーカス、フランシス・コッポラなどの映画製作者たちの成功は、ジョーゼフ・キャンベルがこの本のなかで突きとめた、時を超越したパターンの力を借りたものなのだ。

キャンベルがその本やほかの著作で提示したアイデアは、優れたワンセットの分析ツールなのである。

このツールを使えば、もたついている物語のどこが問題なのかを、ほとんど必ずと言っていいぐらいに突きとめられる。さらに、その本に書かれているパターンを検証することで、物語のどんな問題も解決できる。

この本にはなんら新しいことは書かれていない。ここに出てくるアイデアは、ピラミッドよりも、ストーンヘンジよりも、最古の洞穴画が描かれたときよりも古くから存在している。

キャンベルの功績は、そのアイデアを集め、認識し、組織化し、名称をつけたことにある。キャンベルは、これまで語られてきたすべての物語の裏にひそむパターンを、初めて世に示した人物なのである。

八十二歳のキャンベル（筆者注：キャンベル氏は一九八七年に他界した）は、熱心な神話学研究者で、神話に関する多数の著作を発表している。あらゆる時代のあらゆる文化における神話について、長年にわたり人に伝授し、文献を執筆し、講義をおこなってきた。『千の顔をもつ英雄』は、口述で伝えられてきた伝説や、記録されてきた文学のすべてにおいて、最も長く続いてきたテーマ——英雄伝説——を研究し、それを明確に主張した文献である。

この研究の過程で、キャンベルは、世界の英雄伝説が基本的にすべて同じだということに気がついた——無限のバリエーションのなかで、同じ物語が何度もくり返されているのだということに。意識的か否かはともかく、すべての物語構成は神話の古くからのパターンに従っており、粗野なジョークから至高の文学作品まで、すべての物語は英雄伝説に置き換えて理解できる。これが、キャンベルがこの本に示した、〝単一神話《モノミス》〟すなわち貴種流離譚《たん》の原理である。

英雄伝説のテーマは普遍的なもので、すべての時代のどの文化にも現れる。人種の数だけバリエーションも無限にある。それでもなお基本形式は同じで、驚くほど粘り強く残る一連の要素があり、これが人の思考の最も奥深くからやってきて、無限の反復をおこなっているのだ。

キャンベルの考えは、スイスの心理学者カール・ユングとも似たところがある。ユングは、〈原型《アーキタイプ》〉――人々の夢やあらゆる文化の神話にたえずくり返し登場してくるキャラクター――という考えを提示している。

ユングによれば、この原型は、人の思考のさまざまな側面を反映したものだという——われわれのパーソナリティがそれぞれのキャラクターに分割され、人生のドラマを演じているのだ。

またユングは、自分の診ている患者の夢や妄想の人物は、神話の一般的な原型と非常に似ているということに気づいた。そして、どちらも人の心のさらに深いところからやってきているものではないかと考え、その源を人類の〝集合的無意識〟と呼んだ。

くり返し現れる英雄伝説の登場人物、すなわち、若き英雄、年老いた賢者、変身する人物、謎めいた敵対者などは、人の思考の原型として夢に現れるものと一致している。だからこそわれわれは、神話や神話的なモデルに基づいて構築された物語が、心理学的にリアルだと感じられるのである。

こうした物語は、人の思考がどう働くかをそのままひな型に写しとったものであり、精神の地図と呼べるものだ。空想的で実現不能な、非現実的な出来事を描いたものであろうとも、心理学的には有効で現実味のあるものなのだ。

この覚書は、こうした物語の普遍的な力について伝えるためのものだ。英雄伝説のモデルに基づいてできた物語は、誰にでも感じとれるような魅力を備えている。なぜなら、こうした物語は集合的無意識の普遍的な源泉から湧きだしてくるものであり、普遍的な関心事を反映しているからだ。こうした物語は、子どもっぽいが普遍的な疑問を投げかける。私は誰？ 私はどこから来たの？ 死んだらどこへ行くの？ 何がいいことで、何が悪いことなの？ 私はそのために何をすべきなの？ 明日はどんな日になるの？ 昨日はどこへ消えたの？ そこにはほかの誰かがいるの？

キャンベルが『千の顔をもつ英雄』で示した、神話に埋め込まれたアイデアは、人類の抱えるどんな問題の理解にも応用できる。このアイデアは人生の大きな鍵《かぎ》となり、さらに、もっと効果的におおぜいの観客に訴えるための重要なツールにもなる。

英雄伝説の裏にひそむアイデアを理解したければ、実際にキャンベルの著書を読むことほど効果的な方法はない。読めば人生が変わるような体験ができるはずだ。自分でたくさんの神話を読むこともひとつの方法だが、キャンベルは熟練のストーリーテラーで、喜んで神話研究の豊かな知識から事例を示しつつ意見を伝えてくれるので、その著書を読んでも同じ効果は得られるはずである。

キャンベルの著書『千の顔をもつ英雄』の第四章「鍵」には、基本的な英雄伝説の要約版がおさめられている。失礼とは思いつつも、私はこの概略を少し修正させてもらい、映画によくあるテーマのいくつかを反映させ、現代映画の例を使って説明してみた。私自身の英雄伝説の語りなおしであり、誰でも同じようにやってみるといいと思う。どんな物語作家も、自分の目的に合わせて神話を創りかえるものだ。だからこそ英雄は千の顔を持つのである。

〈英雄の旅路《ヒーローズ・ジャーニー》〉の概略

〈ヒーローズ・ジャーニー〉は、アメリカ人研究者ジョーゼフ・キャンベルが究明した語りのパターンであり、これは芝居、物語、神話、宗教的儀式、そして心理学的な発達にも現れてくるものだ。〈英雄《ヒーロー》〉、すなわち、集団や種族や文明の代表として旅立ち、偉業を達成する人物の原型がおこなう、典型的な冒険のことである。

〈ヒーローズ・ジャーニー〉は次のようなステージで進む。

①日常世界

落ちつきがない、場になじめない、もしくは世事に疎いヒーローが、彼のいる状況もしくはジレンマに観客が共感できるような形で紹介される。ヒーローは、環境や伝統、自分の育ってきた背景に反するような人物として登場する。ヒーローの人生には何かしらの対立図式が存在し、違う方向にヒーローを引っぱっていて、ストレスの原因になっている。

②冒険への誘い
外部からの圧力、または内部の深いところから生じた何かが状況を揺り動かし、ヒーローは変化の始まりに直面させられる。

③冒険の拒否
ヒーローは未知のものに恐れを感じ、一時的に冒険から逃げようとする。かわりに別のキャラが、不安感や先行きのあやうさを主張することもある。

④賢者との出会い
ヒーローは世界を旅する年長者と出会い、訓練や必要な道具、旅の助けになる助言などを受ける。もしくは、ヒーロー自身が自分の内面に勇気や知恵の源を見いだす。

⑤戸口の通過
物語の第一幕の終わり。ヒーローは〈日常世界〉を去り、なじみのない決まりごとや別の価値観の存在する新しい領域や環境に入っていく。

⑥試練、仲間、敵
ヒーローが〈特別な世界〉で試練に遭い、忠誠を学ぶ。

⑦最も危険な場所への接近
ヒーローと新たに見つけた仲間が、〈特別な世界〉での最大の試練に

向け、準備を整える。

⑧最大の試練

物語の中盤、ヒーローは〈特別な世界〉の中心に入っていき、死、もしくは最大の恐怖に直面する。死の瞬間から逃れることで、新しい人生がやってくる。

⑨報酬

ヒーローが死と直面して勝ちとった宝を手にする。祝祭がおこなわれる場合もあるが、再び宝を失う危険が迫ることもある。

⑩帰路

物語の四分の三ぐらいの場面。ヒーローは冒険を完了させ、〈特別な世界〉を去り、宝を持って故郷に引き返す。敵に追われ、切迫した危険な場面となることも多い。

⑪復活

クライマックス。ヒーローは故郷の〈戸口〉で再び厳しい試練に直面する。もう一度犠牲を払うことで再び死と再生の瞬間を迎え、それによって身を清めたヒーローは、今度はさらに高い次元の人間として完成される。ヒーローの行動により、物語の始まりからあった両極の対立も、ようやく解決される。

⑫宝を持っての帰還

ヒーローは成長をとげ、世界を変える力がある宝を持って故郷に戻るか、そのまま旅を続ける。

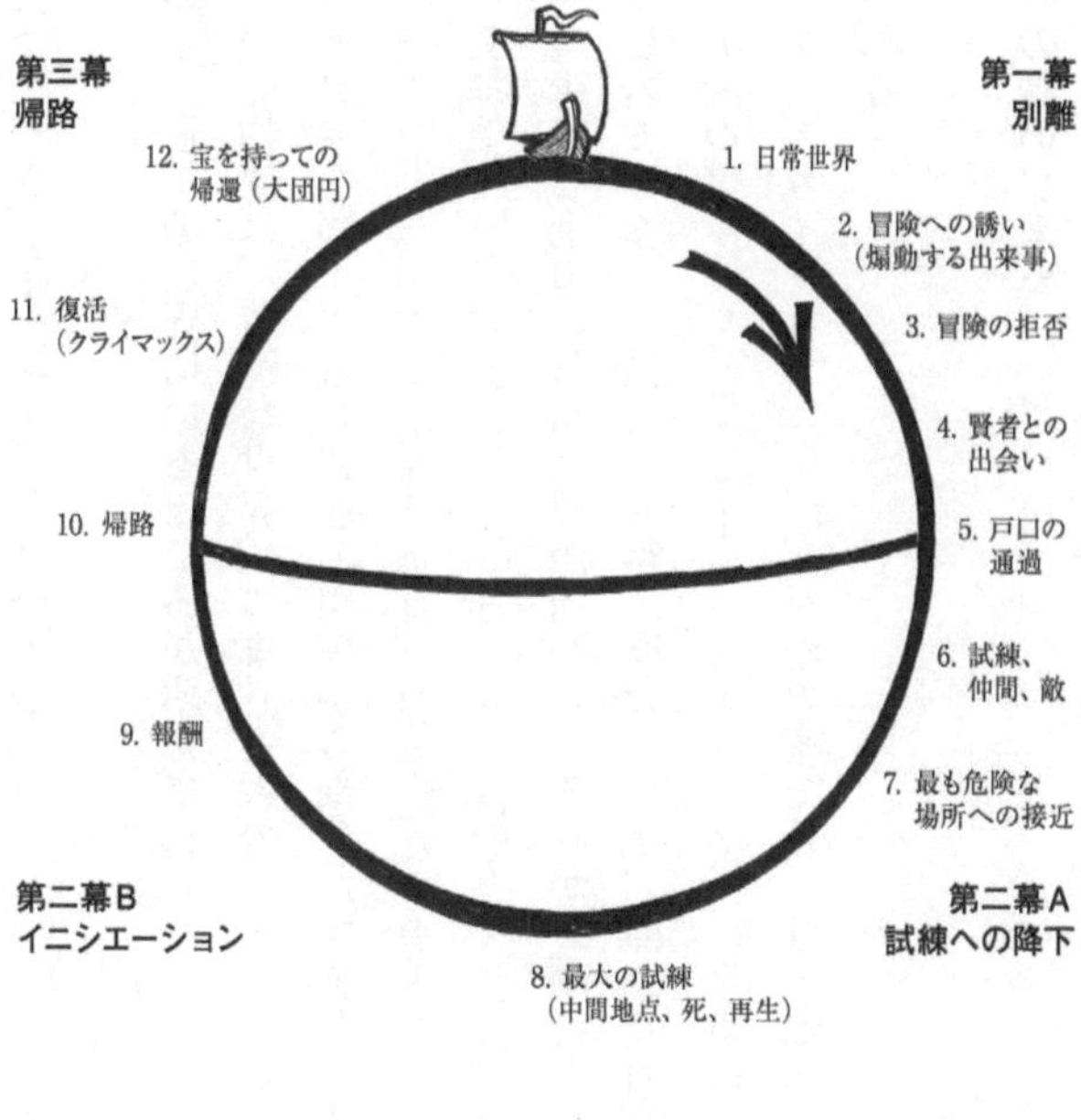

第三幕
帰路
第一幕
別離
12. 宝を持っての
帰還（大団円）
1. 日常世界
2. 冒険への誘い
（煽動する出来事）
11. 復活
（クライマックス）
3. 冒険の拒否
4. 賢者との
出会い
10. 帰路
5. 戸口の
通過
6. 試練、
仲間、敵
9. 報酬
7. 最も危険な
場所への接近
第二幕B
イニシエーション
第二幕A
試練への降下
8. 最大の試練
（中間地点、死、再生）

〈ヒーローズ・ジャーニー〉のステージ

①ヒーローが日常の世界にいるところが紹介される

たいていの物語は、特別な世界、つまり主人公にとって新しい未知の世界へと舞台を移す。もし普通の環境から飛びだす誰かの物語であれば、先に主人公と、主人公の住む平凡で日常的な世界とのコントラストを示しておきたい。『刑事ジョン・ブック　目撃者』では、まずアーミッシュの少年と刑事の日常世界が描かれ、それから両者とも未知の世界に押し込まれる――農家の少年は都会に行き、都会の刑事はなじみのない田舎の村に行く。『スター・ウォーズ』では、宇宙に出ていく前のルーク・スカイウォーカーが、農場の家で死ぬほど退屈している姿が描かれる。

②冒険への誘いが来る

主人公に、問題、挑戦、冒険が与えられる。アーサー王の聖杯探求伝説のように、滅びかけた土地がきっかけになることもある。『スター・ウォーズ』では、レイア姫のホログラフィーのメッセージを受けたオビ＝ワン・ケノービが、ルークに冒険に加わってくれと頼む。刑事物では、主人公が新しい事件を任される。ロマンティック・コメディでは、特別なところはあるがうっとうしい誰かが、主人公の追いかける人物、あるいは喧嘩《けんか》相手となる人物として登場してくる。

③ヒーローは最初は乗り気ではない（冒険の拒否）

この時点の主人公は、冒険の入口でしりごみをすることが多い。結局のところ、主人公が直面するのは何よりも大きな恐怖――未知への恐怖なのだ。ルークは、冒険に行こうと言うオビ＝ワンの誘いを断り、おばとおじのいる農家へ戻るが、農家はすでに帝国軍のストーム・トルーパーに焼き払われていた。ルークは急にしぶるのをやめ、冒険に飛び込んでいこうとする。モチベーションを見いだしたのだ。

④ヒーローは賢者に勇気づけられる（賢者との出会い）

このあたりまでには、アーサー王伝説におけるマーリンのような、主人公の師となるキャラクターが登場している。『ジョーズ』では、ロバート・ショウ演ずる、サメを知り尽くした気むずかしい男が出てくる。テレビコメディの『メアリー・タイラー・ムーア・ショー』では、ルー・グラントがこの役目を担う。賢者は助言を与え、ときには魔法の武器をくれる。オビ=ワンがルークに与える、父親のライトセーバーがこれに当たる。

賢者は主人公にできるだけ付き添う。最終的には、主人公は自分で未知に立ち向かわなければならない。年長の賢者は、ときには主人公に思わぬ仕打ちをして、冒険を進めさせようとすることもある。

⑤ヒーローが自分の世界の戸口を出ていく（戸口の通過）

主人公が初めて物語の特別な世界へ入っていく。この瞬間から物語は動きだし、冒険が進みはじめる。風船が上がり、ロマンスが始まり、宇宙船が飛びたち、幌《ほろ》馬車隊が出発する。『オズの魔法使い』のドロシーは、黄色のレンガ道を歩きだす。主人公は自分の旅にのめり込み、もう振り返ることはない。

⑥ヒーローが試練や支援者に出会う（試練、仲間、敵）

主人公は特別な世界で仲間と敵を作り、訓練の一環として試練や挑戦を乗りこえていく。『スター・ウォーズ』では、ハン・ソロとの連帯関係が結ばれ、ジャバ・ザ・ハットとの反目が始まる場所として、酒場が活用されている。『カサブランカ』ではリックの店が仲間と敵を作る舞台となる。西部劇でも酒場で人間関係が試される場面は多い。

⑦ヒーローが深い洞穴にやってくる（最も危険な場所への接近）

主人公がついに危険な場所にやってくる。探している宝は地下に隠されていることが多い。アーサー王伝説では〝危難の礼拝堂〟が危険な一室として描かれるが、聖杯はここで見つかる。神話においては、ヒーローは愛する者を奪還するために地獄へおりたり、洞穴に入ってドラゴンと戦い、宝を手に入れたりする。テセウスはミノタウロスと対決するために迷宮に入っていく。『スター・ウォーズ』では、ルークとその仲間たちがデス・スターで捕らえられるが、そこでレイア姫を救出する。ときには主人公が自分自身の夢の世界に入り込み、恐怖に直面し、それを乗りこえることもある。

⑧ヒーローが最大の試練に耐える

主人公がどん底を味わう瞬間である。主人公は死ぬかもしれない状況に陥ったり、神話の野獣と戦わされたりすることになる。映画の観客にとっては、洞穴の外で勝者が現れるのを待つときであり、不吉な瞬間である。『スター・ウォーズ』では、ルーク、レイア、そして仲間たちが、デス・スターの内部で巨大なゴミ圧縮機にとらわれる恐ろしい場面がこれに当たる。ルークは下水に住んでいる触手怪物に引きずりおろされて長いこと押さえつけられ、観客はルークが死んでしまったのかとハラハラしはじめる。『E.T.』のなかでも、E.T.が手術台の上で死んでいるように見える場面が出てくる。

どんな物語においても、主人公が試練の渦中で死んだように見え、そしてまた生き返る場面は非常に重要である。英雄伝説の魔力の源もここにある。そこで起きる事件によって、観客は主人公と一体化する。主人公とともに死の瀬戸際の感覚を体験する。観客は一時的につらい気持ちを味わい、その後主人公が生還することで、自分たちも生き返った気分を味わう。

こうした場面の持つ魔力は、よくできたアミューズメント・パークの絶叫マシンと似たところがある。スペース・マウンテンなどのスリリングな乗り物は、死へ向かうような感覚を乗客に味わわせ、そしてその瞬間を生きのびることのスリルを楽しませる。友愛会《フリーメーソン》や秘密結社に入るための通過儀礼、イニシエーション儀式の持つ魔術もそこにある。新参者は死の味を知らされ、復活を経験する。死ぬと思ったときほど、生きていることを実感できる瞬間はない。

⑨ヒーローが剣を手にする（報酬）

死をまぬがれ、ドラゴンに打ち勝ち、ミノタウロスを退治した主人公は、探していた宝を手にする。魔法の剣のような特別な武器、聖杯のような象徴的な品、大地を癒《いや》す霊薬のようなものの場合もある。

主人公が、自分の父親、あるいは陰の敵対者との対立関係を解決する場合もある。『スター・ウォーズ　ジェダイの帰還』では、ルークは双方との和解を果たす。死にゆくダース・ベイダーが父親であることを知り、本当は悪人ではなかったことにも気づくのだ。

主人公が女性と和解する場合もある。主人公が勝ちとる、あるいは救出する宝そのものが女性であることも多く、そこでラブシーンとなったり、聖なる婚姻が結ばれたりする。こうした物語における女性（主人公が女性であれば男性）は、〈変身する者〉《シェイプシフター》であることが多い。形や年齢が変化するように見える相手だ。このことは、主人公の視点から見たもう一方の性別の人物が、たえず変化する不可解な存在であることを象徴している。主人公は、最大の試練によって女性をよりよく理解するようになり、自分と異なる性別の相手との和解にいたる。

⑩帰路につく

主人公はまだ森から出ていない。ここで派手な逃亡劇となることもあり、主人公は霊薬や宝を奪われた執念深い敵から追いかけられる。ルークと仲間たちはレイア姫を連れ、ダース・ベイダーを倒す計画を胸にデス・スターから逃げだしていく。

主人公がまだ父親や神々との和解を果たしていない場合、ここでその相手が追いかけてくることもある。エリオットとE.T.は、政府当局代表者の〝キーズ（ピーター・コヨーテ）〟から逃げ、月明かりのなかを自転車で空を飛ぶ。映画の最後にキーズとエリオットは和解し、キーズはエリオットの義父になるかもしれないという余韻を残す。

⑪復活する
主人公は、冒険の体験で変化を果たし、特別な世界から出てくる。ここで、第8ステージの死と再生の模倣のような場面がもう一度出てくることも多く、主人公は再び死に直面して生き返る。『スター・ウォーズ』のシリーズでは、たえずこのテーマが登場する――最後の戦闘シーンでルークが死にそうになり、一瞬本当に死んだと思わせておいて、奇跡的に生きのびる。ルークはその体験により、新たな自分に生まれ変

わっていくのだ。

⑫宝物を持って帰還を果たす

　主人公は日常世界に戻ってくるが、霊薬や宝、あるいは特別な世界で学んだ教訓を持ち帰らないことには、冒険も無意味なものになってしまう。宝は単なる知識や経験のみの場合もあるが、主人公が人類に役だつ霊薬や恩恵を持ち帰らない場合は、持ち帰れるまで冒険を続けるよう運命づけられる。コメディはこの結末になることが多く、愚かな主人公は教訓を学ぶことを拒み、最初にトラブルを招いた愚行をまたくり返してしまうのである。

　主人公が手に入れる恩恵は、探求の末勝ちとった宝や愛情の場合もあれば、ただ単に、そこに特別な世界が存在し、これからも存在することを知ったというだけの場合もある。ただ故郷に戻ったということだけでも、語る価値のある物語となる場合もある。

〈ヒーローズ・ジャーニー〉についておさらいしてみよう。〈日常世界〉にいるヒーローが、〈冒険への誘い〉を受ける。最初はしぶしぶ〈戸口の通過〉を果たすものの、〈試練、仲間、敵〉に出会っていく。〈最も危険な場所〉にたどりついたヒーローは、〈最大の試練〉に打ち勝つ。そして〈報酬〉を手に入れ、追いかけられながら自分の世界への〈帰路〉につく。ヒーローは自身の体験によって〈復活〉し、生まれ変わる。そして、自分の世界に恩恵をもたらす〈宝〉や霊薬を持って、〈日常世界〉に〈帰還〉する。

どんな基本原則でもそうだが、ここにも避けられない落とし穴がある。この神話のガイドラインにただひたすら従えば、ぎこちなく不自然な構造の物語ができ、あまりにも見えすいた話になりかねない。英雄伝説は、個々の物語の細部で隠すべき骨組であり、この構造そのものが注目されてはならない。ここに書いた英雄伝説のステージ順序は、たくさんあるバリエーションのうちのひとつに過ぎない――ステージのいくつかを削除したり、追加したり、この骨組が力を失うことのないように、思いきって順序を入れ替えたりしてもいい。

重要なのは、神話の価値そのものだ。基本バージョンのイメージ――年老いた魔法使いから魔法の剣を手に入れる若き英雄、洞穴の奥深くにひそむ邪悪なドラゴンとの戦いなど――は、単なる象徴であり、自分の書く物語に合わせていくらでも変更できる。

英雄伝説の象徴的なキャラクターや小道具を、現代の人物や小道具に置き換えることで、神話は、現代劇、コメディ、ロマンス、アクション・アドベンチャーなどにたやすく書きかえることができる。年老いた賢者は、もちろん本物のシャーマンや魔法使いでもいいが、師匠や教師、医師やセラピスト、厳しいが面倒見のいい上司、荒っぽいが公平な曹長、両親、祖父母などにもできる。現代のヒーローは、洞穴や迷宮に入って神話の野獣と戦うのではなく、宇宙に行く、海底まで潜る、自分自身の心を探索する、現代の都市の深淵《しんえん》に入り込むなどして、彼ら自身の最も危険な洞穴に入っていくことになる。

とても単純なマンガの物語も、非常に洗練された芝居の筋書きも、神話を使って語ることができる。神話は、その基本枠組のなかで新しい実験をされ、大きくなり成熟していく。基本キャラクターの性別や年齢を変えるだけでもおもしろみは増し、そのキャラクターを中心に、もっと入り組んだ叡智《えいち》の蜘蛛《くも》の巣を張りめぐらせていくことも可能だ。基本のキャラクターを組みあわせたり、複数の人物に分割して異なる要素を与えたりすることもできる。神話にはどこまでも柔軟性があり、その魔力を犠牲にすることなく果てしないバリエーションを生みだすことができ、後世まで長く生きつづける。

マッケナからひと言

この覚書《メモ》は、二〇年近くにわたり、僕よりずっと洞察力のある人々にじっくり咀嚼《そしゃく》されてきた。その意義は時がたっても色あせることはなく、だから僕も無用な口出しは控える。ただ、この覚書をさらに洗練されたものに仕上げてきたわが友のことと、微力ながらそれを助けた僕の役割については、ここでちょっとだけ自慢しておきたい。

僕は長いことこの覚書を、自分が教えている三時間の授業の基礎に使わせてもらってきた。三時間もじっと座って講義を聞くのは耐えがたい苦行だが、この覚書の話をするといつも魔法が起きてくれる。

僕の講義に出た生徒たちは、“ずっと知っていたつもりでも忘れていたもの”に出会ったように、うなり声を発したり、クスクス笑ったりしたものだ。講義のあとで、創作に行き詰まったライターが、創造の新しい泉を見つけだせた気がすると言いにきてくれることもあった。

僕の母（作家になろうという野心も計画もまったくない女性）も、この講義に一〇回以上は出席してくれた。最初のうちは、教壇に立つ息子を見て楽しんでいただけだった。だが、しだいに出席回数が増えた。講義のおかげで、母は自分の賢さに気づいたのだ。母は幼いころから大の映画ファンで、〈ヒーローズ・ジャーニー〉のステージの話を聞くうちに、自分がどれだけ深く映画を愛しているかを思いだした。そして、自分自身の旅路におけるヒーローは自分だということにも気づいたのだ。

ボグラーより――次のページから、『神話の法則』第三版（米国版）に掲載した〈ヒーローズ・ジャーニー〉のステージのイメージイラストを再録しておく。ミシェル・モンテズとフリッツ・スプリングマイヤーのイラストは、じっくりながめるだけでも楽しいし、〈ヒーローズ・ジャーニー〉のステージが持つ新たな可能性を表現してくれているかもしれない。

〈ヒーローズ・ジャーニー〉のステージ

1．日常世界

2．冒険への誘い

3．冒険の拒否

4. 賢者との出会い

5. 戸口の通過

6．試練、仲間、敵

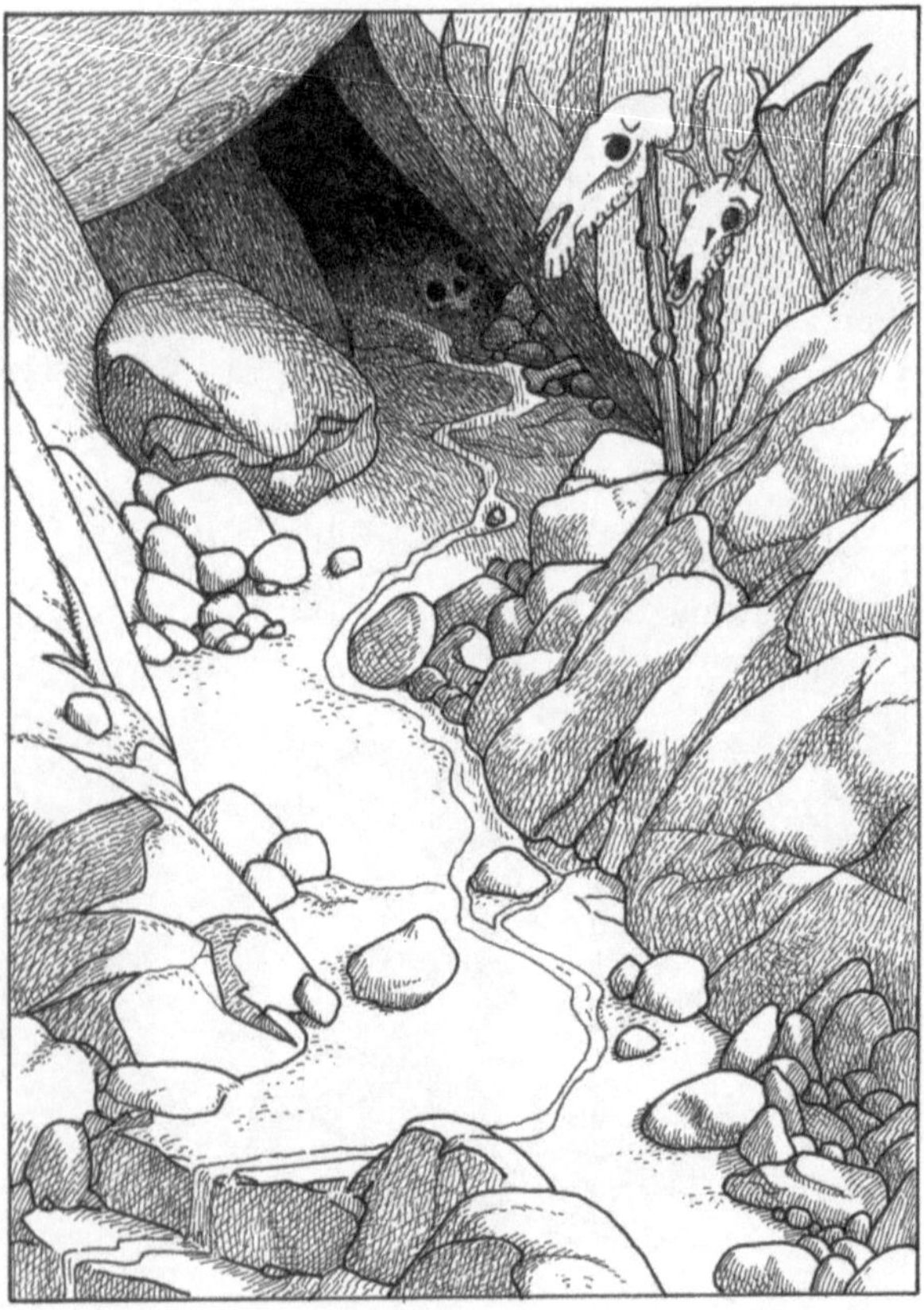

7．最も危険な場所への接近

8. 最大の試練

9．報酬

10. 帰路

11. 復活

12. 宝を持っての帰還

第7章　英雄の内面的な旅路

ボグラー

ディズニー・アニメーション社で古典的なおとぎ話を映画に採り入れる作業をしているうちに、私がたどりついた結論がひとつある。良質なおとぎ話は、二つの物語を語っているということだ。

第一の物語では、外面的な目的を達成するための物語、つまり、主人公が身体的な危険にさらされる実際の旅が描かれる。第二の物語では、主人公が教訓を学んだり、自分の性格に欠けている部分を育てるため、さまざまな感情や特質の領域で試練を受ける、心の旅が描かれる。

どんな物語にも、主人公が解決すべき外的な問題と内的な問題が必要だ。そして、どんな物語も、外的な疑問と内的な疑問を投げかけてくる。外的な疑問は、主人公は現実の目的を達成できるか？　といったものだ。

ドロシーはオズの国から故郷へ帰る方法を見つけることができるだろうか？『ロード・オブ・ザ・リング』のフロドは、サウロンを倒して滅びの山に指輪を持っていくことができるだろうか？

そして内的な疑問とは、主人公が人生の教訓を学んで、情け深くなり、責任感や自覚を深め、より完成された人物になれるかどうか？　というものだ。ドロシーとその仲間たちは自分を信じる心を学び、「おうちがいちばん！」と言えるようになるだろうか？　フロドは支配力を持ちたいという誘惑を乗りこえられるだろうか？

さらに私は、こうした二つの物語が、ともに機能しあうものだという結論にも達した。外面的な旅はたいていの場合、主人公に足りない何か、あるいは主人公が強く求める何かに駆りたてられる。物語は主人公の願いを〝聞き〟、目的への道のりにいろいろな障害物を与えてくる。それを乗りこえていくうちに、主人公は物語から与えられた教訓を学び、ほかにも自分に欠けているものがあること、私的・感情的・心理的なレベルで本当に求めているものがあることに気づく。最初のうちは個人の問題や足りない部分に気づかないが、しだいにそれを意識するようになり、本当に必要とするものを手に入れるために変わろうとする。主人公の最初の願いは聞き届けられ、欲しかったものは手に入るが、同時に物語のもっと高い次元の目的も達成され、主人公は内面的な旅路において自分というものを知るようになる。

この二重の旅を念頭に置き、〈ヒーローズ・ジャーニー〉の別バージョンのサイクルを次に示す。今度のバージョンは、主人公が心の旅で経験する意識の段階的な変化を強調してみたものだ。

〝キャラクター成長曲線〟、すなわちキャラクターの成長の軌跡をたどる曲線のことは、映画脚本執筆のマニュアルや映画会社の覚書にも書かれている。主人公は、現実味のあるゆったりとした変化をとげていき、その変化を実験し、古い行動パターンに陥りそうになりながら、最終的には人生の教訓を学び、感情の突破口をつかむ。内面の旅は、キャラクターの一般的な成長パターンを示すひとつの方法で、特に人物がどう変化に取り組んでいるかをわかりやすくしてくれる。

〈ヒーローズ・ジャーニー〉の内面的な旅は、以下のように説明できる。

①〈日常世界〉に住んでいる主人公は、最初は問題への認識が不足しており、もはや効果のない戦略を使ってなんとかやっていこうとしている。

②〈冒険への誘い〉を通じて主人公の認識が高まり、すぐにも変化が必要だということを自覚しはじめるが、そのために何をしたらいいのかはまだわからない。

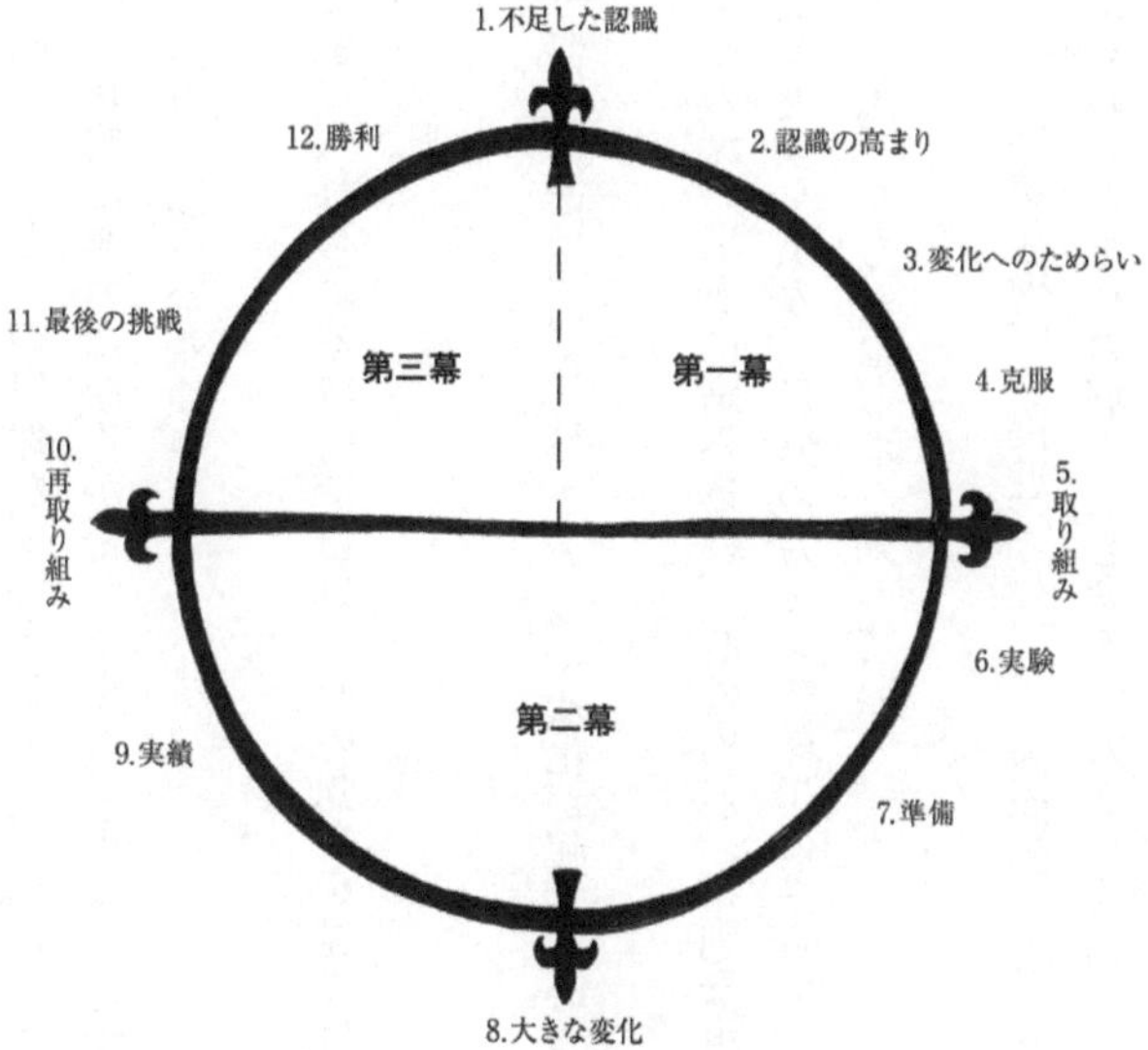

1.不足した認識
2.認識の高まり
3.変化へのためらい
4.克服
5.取り組み
6.実験
7.準備
8.大きな変化
9.実績
10.再取り組み
11.最後の挑戦
12.勝利
第一幕
第二幕
第三幕

③　未知のものに直面したことへの自然な反応として、変化に対する恐れや抵抗の気持ちが生じる。主人公は一時的に無力になるか否認に走る。正しい行動をしたい気持ちも、疑いにかき消されてしまう（〈冒険の拒否〉）。

④　主人公が知恵を手に入れられる場所や自分の心の強さを見つけだし、恐れに打ち勝つ（〈賢者との出会い〉に相当）。

⑤　励まされ、あるいは状況に強いられ、主人公に変化が起き、心の〈戸口の通過〉をする。

⑥　主人公はさらに心の深い場所に踏み込み、心の内の〈特別な世界〉でやっていくこつを覚え、新しい環境で実験を試み、自分の力を〈試練〉にさらす。また、自分の内面世界における〈仲間〉や〈敵〉がなんなのかを知っていく。

⑦　外面的な旅で〈最も危険な場所へ接近〉しつつ、内面的にもさらに深い感情を探り、困難で恐ろしい何かに対峙《たいじ》するための解決策を考え、大きな変化への準備を整えていく。

⑧　現実の〈最大の試練〉と並行して、生死の境に直面し、心の大きな変化が起きる。古い自己認識は、極度のプレッシャーによって消える。幻想が壊れるが、その激動や破綻《はたん》のなかから、新しい自己の概念が生まれてくる。

⑨　実際の〈報酬〉を手にするとともに、主人公は内面的にも新しい人生の意義を受け入れ、愛情や絆《きずな》に喜びを感じたり、心の変化がもたらした結果を認識するようになる。

⑩　現実の〈帰路〉で、主人公は内面においても避けがたい試練を与えられ、再び新たな挑戦に取り組まなければならない。実際の追跡・逃亡・救出劇は、心の誘惑や、古い行動パターンに戻ろうとする心理、主人公の変化を妨げる予期せぬ新しい試練の象徴になっていることもある。主人公の新しい姿を世界が受け入れようとせず、古い環境に戻らせようとしている場合もある。

⑪　主人公の外面的な変化や〈復活〉は、主人公が変化に取り組みつづけようとする意思の表明だが、内面の物語を悲劇に変えようと、最後の危険が待ちかまえていることもある。

⑫　主人公が現実の問題を乗りこえ、感情的な問題にも成長を示し、勝利をおさめる。また は、聖なる婚姻を経て、敵対していたパーソナリティが調和やバランスをもたらしてくれる。

心の〈ヒーローズ・ジャーニー〉を描いていくためには、この概略はほんのスタート段階でしかない。私の同僚で、私と一緒に『二つのヒーローズ・ジャーニー（Hero's Two Journeys）』というＤＶＤを製作したマイケル・ハウジは、この分野のエキスパートだ。マイケルは、内面の旅が映画においてはどんな役割を演じるかに関し、深い心理学的な洞察を持っていて、楽しめるわかりやすい語り口でそれについて教えてくれる人物だ。キャラクターが心に抱く自分の姿を現実とどう比べるようになっていくのか、心の平安を得るためにどうやって必要な変化を起こすのか、そういったことを明らかにしてくれる。

心の旅の可能性を理解するもうひとつの方法は、ユング心理学、特に個別化の概念を知ることだ。ユング心理学による人間心理発達の分析によれば、人はそれぞれに、個人のアイデンティティを体験したいという気持ちと、他者、すなわち家族や同じ種族など、社会的集団とのつながりを通じ、何かの一部であると感じたい気持ちのあいだでつねに揺れうごいているという。子どもや若者は、母親や家族と離れがたく思いながらも、自分のパーソナリティをほかと区別しようと試みる。さらに年を重ねると、この作業は、他者や集団に自分のパーソナリティを統合しようというものに変わるが、自分はどこから来たのかという謎を消化できるまでは、再び個人のアイデンティティを探すことになる。個別化のステージは、〈ヒーローズ・ジャーニー〉における各ステージ、特に内面的な旅とも一致するところが多い。ジョーゼフ・キャンベルの研究は、神話における英雄の旅路が、物語形式をとった個別化のプロセスの図式とも読めることを示している。

プロット主導か、キャラクター主導か?

ところで、物語では、内面と外面のどちらを優先させるべきだろうか？　これは個々の物語による。ハリウッド的な用語で言えば、映画の場合、プロット主導（外面的な動きのある物語の筋書きが優先）の映画か、キャラクター主導（キャラクターの内面的生きざまが優先）の映画のどちらかとなるが、実際にはどんな映画もその両方が混在している。『アバター』のようなプロット主導の映画では、見た目の動きが物語を支配するが、そこにはロマンスもあり、主人公が解決しなければならないキャラクターの心の問題——主人公は物事を真剣に受けとめ、ナヴィの敬意を勝ちとることができるだろうか？——も、多少は存在する。『クレイジー・ハート』のようなキャラクター主導の映画では、製作者は主に感情面に重きを置き、個性的なキャラクターの細やかな肖像を描こうとするが、そこには充分に動きのある筋書き（自動車事故や行方不明になる少年など）や、外的な目的（もう一度曲作りをしたいという願い）もあり、現実の世界に根づいた物語となっている。

内外どちらの面からも観客を満足させられる最高級の映画は、現実の旅と感情の旅のバランスがとれていて、どちらの面にも解決すべき問題が存在している。どの主人公も、内面と外面の両方に欲求や渇望があり、内面と外面で障害に直面し、内面的にも外面的にも変化をとげていく。最初は外的な旅路を書いていても、遅かれ早かれ、主人公が直面する心の問題で物語を肉付けする必要に迫られるはずだ。物語に深みや意味を与え、共感できる作品にしてくれるのは、心や精神の旅路、キャラクターが人生について学ぶ教訓なのだ。

忘れないでほしいことは、物語が求めるものが、その物語の構造を決めるということだ。心や感情の進展は、外的な旅を進めるアクション場面とは別の、独自のシーンで表現することも可能だ。心理的な進展をプロットに織り込み、アクションの場面と切り離さずにおいて、外的な試練や主人公の行動の進行とともに感情も目覚めていくという手法もとれる。

どちらにしても、内面的な旅路を発展させる努力は怠らないようにしたい。観客が本当に観たがっているのは心の旅路であり、彼らは主人公の人生を自分の人生と対比させ、そこに新たな洞察を見つけたがっているものなのだ。

マッケナからひと言

人を最も感動させるのは、〝内面〟と〝外面〟の両方で観客を満足させられる映画だと、僕も固く信じている。

どちらか一方に集中しようとする作品プロジェクトは多い。確かに、ジェームズ・ボンドのシリーズは、どれも〝外面〟的だ。おもちゃをもらった子どものようにスリリングな気分を味わえるし、セットの爆破と商品タイアップに心血を注いだ映画シリーズであることも否めない。ショーン・コネリー（またの名を〝史上最高のジェームズ・ボンド〟）があの役を演じるのにうんざりしたのもうなずける話だ。

一方、昼のメロドラマは〝内面〟主導の作品と呼んでもよさそうだ。キャラクターは自分の感情についてばかり考えているし、脚本家はプロットの動きの遅さをますますあおるように、極端な作品を次々生みだしている（マリオ・バルガス＝リョサのすばらしい小説『フリアとシナリオライター』には、一日十何時間もソープオペラ（連続メロドラマ）番組を書かされ、頭がおかしくなる天才脚本家が登場する）。

長持ちする物語を書きたければ、内外両面を備えた話を書くことをお勧めする。

『ロッキー』は偉大なボクシング映画だし、『スター・ウォーズ』はＳＦアクションをさらに高いレベルに押しあげた作品だ。が、この両作品が何十年たっても価値を失わないのは、作品のなかで主人公たちが、感情面でも成熟できたおかげにほかならない。ジェームズ・ボンドのシリーズ（と、ボンド映画の商業的同類のジェイソン・ボーン・シリーズ）は、ピーター・パンのように成長しない主人公をリセットし、彼らが大胆不敵になしとげてきた外的な偉業にも負けない、波乱多き内的な人生を持ったヒーローへと路線を変えた。刑務所ものの映画やホラー映画は流行《はや》りすたりをくり返していて、『ショーシャンクの空に』『羊たちの沈黙』が頭ひとつ抜けている感があるが、これはこの二本（を含むいくつかの作品）が独自の愛の物語を語ることに成功しているからだ。

僕の映画への忠誠心は実に熱烈なものだ。が、必死にアクションを目で追い、それでいて心に触れる場面も見せてくれるような映画こそ、この情熱を注ぐにふさわしい作品だと思っている。

第8章　相互アクション

マッケナ

すべてのドラマの基本的な構築要素となるのは、相互アクションだ。これが観客にドラマの切迫感を感じさせてくれるものとなる。

大胆な断言かもしれない。そもそも相互アクションとは何か？　どのように機能するものだろうか？

もうひとつの大胆な断言をさせてもらおう。〝求めるもの〟を持ち、その〝求めるもの〟を満たすために行動に出る誰かがいないかぎり、キャラクターは存在しない。そこからおもしろいことが始まっていくのだ……。

ドラマにおいては、〝求めるもの〟を持つキャラクター（〝A〟とする）が、別のキャラクター（〝B〟）に接近し、自分の目的を達成するために行動を起こす。第二のキャラクターBもやはり〝求めるもの〟を持っていて、通常それはAの〝求めるもの〟との利害対立を引きおこす。Aに接近されたBは、自分の目的を達成するチャンスを見いだす。Bは調整をおこない、Aに対して行動で応じる。

Aのアプローチ（能動態動詞で表現できる行動）とBの反応（こちらも能動態動詞で表現できる行動）から、交渉、戦闘、駆け引きといった〝相互アクション〟が始まり、これが次のいずれかの状況になるまで続き、大きくなっていく。

●Aが自分の求めるものを手に入れる
●Bが自分の求めるものを手に入れる
●なんらかの和解にいたる
●外部要因によって中断する

僕の体験によれば、この四つの結果以外のことはまず起きない。

オーケー。これではあまりに無味乾燥の考えかただし、自分でも何を言っているのかわからないぐらいだ。もう少し詳しく見ていこう。

すべてはゲームである

ドラマの場面はテニスの試合と似ている。ビーナス・ウィリアムズ（〝A〟）が妹のセリーナ（〝B〟）と、大きなトーナメントの決勝で当たることになったとする。どちらも〝求めるもの〟がある（どちらも得点したいと思っている）キャラクターであり、相手が自分に仕掛けてくる障害に対処するために、選択や調整をおこなおうとする。

ビーナスがセリーナに向けて強いサーブを打つ。これがサービスエースになれば、すばやく得点が稼げるので、ビーナスにはありがたい。だが、これが良質のドラマのシーンなら、生き生きとしたプレーのせめぎあいを続け、どちらが報われるかの結末はできるだけ先のばしにするものだ。

そんなわけで、このテニスのドラマでは、ビーナスがサーブを放つと、セリーナはそれを見て、動きを調整し対処するという相互アクションをとる。セリーナが高速のリターンショットを打つ。サービスエースにできなかったビーナスは、調整し、セリーナに向けてロブを返す。

ここでまた調整だ。セリーナは、返ってきた球が思ったより遅いことに気づく。そこで内側に動き、ボールが来るのを待って、ビーナスの弱い《ウィーク》サイドに軽く打ち込む。ビーナスはまた調整して反応し、もう一本返す。セリーナも再び調整し反応する。ビーナスも同様だ。どちらも得点するために敵の弱みを探す。

これが結末にたどりつくまで続く。ビーナスが得点する。あるいはセリーナが得点する。あるいは、両方がラリーの途中で試合を放棄する。あるいは、突然の雷雨に襲われ、ゲームが中断する。

ドラマに登場する武器はテニスの道具ではないかもしれないが、要点は同じことである。

『カサブランカ』の対決シーン（映画上の第二幕の終わり）を例にあげよう。イルザはリックの持つ通行証をどうしても手に入れたい。通行証がイルザの〝求めるもの〟であり、彼女はリックをアパートメントに追いつめ、それを奪おうとする。だが、リックにも〝求めるもの〟はあり、リックはそれがなんなのか明らかにすることで、イルザへの相互アクションをとる。

イルザは、欲しいものを手に入れるため、手始めに、二人がパリで恋人だったころに使っていた〝リチャード〟という名でリックを呼ぶ。リックはイルザの狙いに気づいていて、調整を加え、相手

イルザは通行証を欲しがっていて、自分の“求めるもの”を手に入れるために銃を持っている。リックのほうは何が欲しいのだろう？　『カサブランカ』の脚本が成功しているのは、自尊心、誠実さ、責任、そして愛情といった陰のテーマを、ドラマティックな対立と相互アクションで表現しているからだ。

の出鼻をくじく。〝サービスエース〟に失敗したイルザも調整する。リックをビジネスマンとして扱い、通行証はそちらの言い値で買うと言う。だが、リックの〝求めるもの〟は金品では満たされない。「断る」とリックは言う。

イルザにはほかにどんな戦略があるだろう？　リックの心にひそむ理想主義に火をつけることならできるかもしれない。イルザは、自分もリックも、そしてラズロも、同じ高貴な信念のために闘ってきた者同士だと訴える。リックは調整してこれをかわし、自分にはもうそんな信念はないと言い返す。イルザはかつて自分たちが恋人だったことを思いださせ、リックの心をひらかせようとする。リックはこれを利己的な策略だとあざける。信じるには卑劣だし、もう遅すぎると。

イルザは再び調整する。リックを侮辱し、臆病者《おくびょう》だとののしる。この武器が威力不足なのはリックにはわかっている。リックも調整し、イルザの顔を見つめ、出ていかせようとする。イルザはさらに調整し、ラズロの命乞《いのちご》いを始める。リックも調整し、冷たいそっけなさでイルザに怒りをぶつける。「それがどうした？　おれもいずれカサブランカで死ぬんだ。死ぬにはいい場所さ」

選択肢が尽き、イルザは最後の攻撃に出る。彼女は拳銃《けんじゅう》を構える。リックに死ぬ意思があるのなら、自分が殺してやり、欲しいものを手に入れるまでだ。拳銃を目にしたリックは再び調整し、拳銃に向かって歩きながらイルザに挑む。「さあ、撃てよ。そうしたらおれも楽になれる」

イルザは引き金を引くだろうか？　もちろん引かない。何せこの映画は、ハリウッド史上最高のラブストーリーのひとつだ。発砲するかわりに、イルザはリックがずっと求めていたものを与える。イルザは、ずっとリックを愛していたことを認め、いまでも愛していると打ち明ける。リックが得点を奪い、相互アクションのゲームで満足のいく勝利をおさめたというわけだ。

よくできた脚本はたいていどれでも、こうした相互アクションが基盤になっているはずだ。

『ゴッドファーザー』のオープニングでは、シチリア系アメリカ人のボナセーラが、罪のない自分の娘を暴行した相手に復讐《ふくしゅう》したいと思い、ドン・コルレオーネに助けを乞う。ドンの権力があれば他愛もない復讐だが、それでもドンは、ボナセーラの提示した報酬や見返りをすぐには受け入れない。「どんな望みでもかなえてやるが、そのかわり私の望みもかなえてくれ」

ドンの求めるものは何か？　ひと言で言えば〝敬意〟であり、ボナセーラが自分からドンの指輪に口づけ、〝ゴッドファーザー〟として抱擁しなければ、頼みは聞きいれられない。二人の相互アクションの演じ手が、勝者が敗者を服従させるまでどう駆け引きするか、このシーンを見ればよくわかるはずだ。

実のところ、芝居がいかに相互アクションの形式で演じられているかは、どんな脚本のどんな場面を見てもよくわかる。

相互アクションは、脚本家が観客に情報を与える手法だ。エッセイストは、自分のテーマを哲学的に説明する。報道記事のライターは、出来事の事実を直接的に伝える。小説家は、キャラクターの感じることや私的な意見を読者に向けて直接語らせる。

しかし脚本家の場合は、対立したキャラクターを闘いの場に置き、観客に行動の力を見せ、闘いが続くあいだに各々の人物の性質がおのずから見えてくるようにするという手法をとることになる。

相互アクションは、ドラマのストーリーテリングには必要不可欠であり、優れた脚本家が自分の世界に観客を誘い込むための手法なのである。

考えてみよう

1　すでに書いた脚本の、会話の場面に活気を与えよう。会話中のどの文章にも動詞を置き、動いている側のキャラクターが、受け手の側に何をしているのかを明確にする。言外の意味も込めるためには、言葉で何を言わせるかだけにとらわれてはいけない（たとえば、人の言葉は本音と食いちがうこともある、といったことを忘れないように）。動詞はあればあるほどいい（たとえば〝詮索《せんさく》〟〝掌握〟よりも、〝つつきまわる〟〝どらえる〟と書くほうがずっと効果的だ）。わかりきったことをくどくど書かないこと。行動に出ているキャラクターが何を求めているのかを理解し、その人物の目的を達成するために、会話の一文一文をどんな戦略で使うべきかよく考えること。

2　動いているイメージを思い浮かべてみよう（取っ組みあい、駆けっこなど）。二人のキャラクターが目的達成のために対話するシーンでは、こうした動きのあるイメージを、言外の含みとして織りまぜてみよう。

ボグラーからひと言

デイビッドは私よりもずっと熱心なスポーツ愛好家だ。デイビッドがよくスポーツを引き合いに出すのもそのせいだ。何かを競いあうことも私たちの長年の友情の一部だが、ことスポーツの分野ではデイビッドの圧勝で、彼にとってはスポーツや試合こそが神話なのだ。そんなわけで、相互アクションの概念も、デイビッドのほうがずっと直観で理解できているんじゃないかと思う。とはいえ、考えてみれば、大学時代の私の得意なスポーツはフェンシングだったので、私も攻撃や反撃のしかたやフェイントのかけかたは知っているし、相手の剣をかわしたり、こっちから突きを入れたりして、どちらかが決定的な攻撃を決めるまでの作法も熟知しているつもりだ。デイビッドがいまだにふるえあがる思い出がある。裏庭で木製の練習用の剣を使った勝負の思い出だ。デイビッドは私の得意なスポーツでも勝つ気満々で、私の剣をすばやくかわし、華麗なフットワークを見せつけたが、結局は私のスピンターンにやられて切り込まれた。本物の剣なら脚がなくなっていたところだ。これぞ相互アクションというものである。

第9章　キャラクターの機能

——〈原型《アーキタイプ》〉とそれ以外の類型

ボグラー

〈原型《アーキタイプ》〉

〈原型《アーキタイプ》〉とは、くり返し現れる人間の行動パターンのことであり、映画や物語では、標準的なタイプのキャラクターがそのパターンを表現する。以下は一般的な〈原型〉の一覧だ。もっと詳細な説明が必要なら、拙著『神話の法則』を参照されたい。

主人公（ヒーロー）

物語の中心となる人物。自分自身の人生の物語では、誰しもがヒーローである。通常の〈主人公〉は、学ぶべきことがたくさんあり、長い旅をするキャラクターとして描かれる。古典的な〈主人公〉の理想形は、自分より大きな何かのために、自分の望みを犠牲にできる人物である。

影（シャドウ）

悪者や敵。ときには内面の敵であったりもする。闇の力であり、〈主人公〉の可能性を抑圧し、〈主人公〉の悪の潜在能力となる。別の種類の抑圧、たとえば、抑え込まれた悲しみ、怒り、いらだち、創造力など、はけ口がなければ危険なものになりうるものとして描かれることもある。はっきりとした悪者や敵が出てこない物語もあるが、〈主人公〉が乗りこえなければならない何かの不足や欠如、障害、自然の力なども、〈主人公〉にとっての〈影〉になる。

賢者

〈主人公〉を導く人、もしくは導く原理。『スター・ウォーズ』のヨーダ、アーサー王伝説のマーリンなど、偉大な指導者もしくは教師となる人物。本能や内面的な行動規範などがその役目を負うこともある。

使者

〈冒険への誘い〉を伝えるもの。〈主人公〉に行動をうながす人、もしくは出来事。〈賢者〉や〈変身する者〉、ときには〈影〉が一時的にこの役目を担うこともある。この役割のためだけに、新しいキャラクターが現れる場合もある。

戸口の番人

〈主人公〉の旅路の重要なターニングポイントとなる地点でじゃまをする力。嫉妬《しっと》深い敵、仕事として門番を務める人物、もしくは〈主人公〉自身の恐れや疑いなどがこれに当たる。神話にはこうした障害がたくさん登場する。〈主人公〉は二つの世界の境界にいる〈番人〉を、賢く出し抜いたり、その目をごまかしたり、だましたり、言いくるめたり、トリックや変装でかわしたり、足もとをすくったり飛びこえたり、勧誘したり魅了したりする。

変身する者（シェイプシフター）

ホラーやファンタジーの吸血鬼や狼男《おおかみおとこ》のような、変身する生き物。〈変身する者〉は、不可解に変化する人間自身のパーソナリティや気分を、象徴的に表現している場合もある。〈主人公〉が、愛、友情、チームワークなどを通じて他者と関わるとき、相手の人物がしばしば驚くほど簡単に変化したり、二面性を持っていたりすることを伝えてくる。物語は〝見た目に惑わされてはならない〟という教訓をつねに伝えてくる。『スター・ウォーズ』のルーク・スカイウォーカーは、最初のうち、オビ＝ワン・ケノービのことを偏屈でつまらない世捨て人だと思っていたが、しだいに大きな力と影響力を持つジェダイ・マスターだということに気づく。ルークにとってのレイア姫は移り気で傲慢《ごうまん》で横柄に見えるが、そうかと思うと優しくなったり軽薄になったりする。ハン・ソロも最初のうちは、うぬぼれた自己中心的な宇宙の無法者として登場し、その忠誠心も頼りないものに見えるが、最終的には自己犠牲を厭《いと》わない英雄へと変貌《へんぼう》をとげる。ルークが出会うどのキャラクターも、第一印象から真の姿へと変わっていく。ダース・ベイダーでさえ、そのマスクの奥にある別の顔、すなわち、ルークの父親という秘密の事実と、かつてはルークのような理想主義の若者だったという真実の姿を明らかにする。

〈主人公〉自身が〈変身する者〉として、マントやマスクを身につけることもある。変装しなければ〈戸口の番人〉がいる場所を突破できないこともあるし、〝誰かの皮をかぶる〟、つまり相手の立場に身を置くために、ほかの人間や生き物の形を借りることもある。『トッツィー』では男性俳優が女性の役を演じることになり、それによって女性を深く理解するようになっていく。

ロマンスにおいては、愛する相手が変わりやすく不安定な場合もあり、本音とは違うことを言ったりする。こうしたモチーフは、映画におけるロマンスの部分には必ずと言っていいほど出てくるため、〈主人公〉の〝相手役《ラブ・インタレスト》（昔のハリウッド用語で、主人公がロマンティックな関わりを持つ相手のこと〟も〈変身する者〉に位置づけることができる。〈主人公〉の愛する相手や手に入れたい相手が〈賢者〉や〈仲間〉となることもあり、ときには〈影〉にもなるが、最初のうちは〈変身する者〉の姿を借りる。

〈変身する者〉の概念は、〝二人芝居〟やコンビもののコメディ、すなわち、中心となる感情の絆《きずな》がロマンティックなものや性的なものではなく、友情の絆や相棒との絆であるタイプの物語でも役にたつ。二人の対照的な人物が、共通の目的を達成するために手を組むことになり、両者のスタイルや哲学の衝突から笑いやドラマが生まれる。観客は二人のうちのどちらかの視点で話を追うことが多く、たいていは話の語り役を務める〝ノーマル〟なほうが選ばれる。この〝観客側の人物〟の視点から見れば、もうひとりの人物は〈変身する者〉に見え、その忠誠心が不安視されるが、たえず自分の新たな面を明かしては相手の人物を驚かせる。

トリックスター

バッグス・バニー、ダフィー・ダック、リチャード・プライヤー、エディ・マーフィーに代表される、道化役のいたずら仕掛け人。人が持ついたずら好きな潜在意識、状況を変えたいという衝動を象徴する存在。〈トリックスター〉は社会の正常な状態をひっくり返し、その欠点を暴きだす。脇役的なキャラクターであることも多いが、〝トリックスター・ヒーロー〟として話を引っぱることもある。私はドイツのプロダクションの依頼で、中世ヨーロッパのいたずら好きの農夫、ティル・オイレンシュピーゲルを題材にしたアニメーション映画の台本に協力したことがあるが、この不遜《ふそん》な男を主人公とした伝説は大量に残されている。

仲間

〈主人公〉の変化を助けるキャラクター。腹心、相棒、ガールフレンドなど、人生が変遷していく過程で〈主人公〉に助言を与える。仲間が捨て石にされることもあり、負傷したり、連れ去られたり、殺されたりして、そのことが〈主人公〉のモチベーションになったり、観客の同情を生んだりする。

プロップのキャラクター

ロシアの研究者ウラジーミル・プロップは、103に及ぶロシアのおとぎ話からサンプル抽出をおこない、興味深い別のバリエーションの〈原型〉を示した（第13章と14章で、プロップによる31の物語機能とキャラクターの概念を紹介しているので参照されたい）。プロップは以下のようにキャラクターの類型化をおこなっている。

①敵対者

主人公と闘う人物。情報を探して手に入れたり、主人公をだます計画をたてたり、主人公をあざむいて敵対者を助けさせたり、ほかの人物に危害を加えたりする（殺害、誘拐、拷問、奴隷にする、魔法にかける、吸血鬼やゾンビにする、など）。打ち負かされることもあり、あざけったり、追いかけてきたり、復讐《ふくしゅう》を試みたり、偽の主張をしたり、不可能な試練で主人公と競ったりして、見つけだされ、罰を与えられる。〈ヒーローズ・ジャーニー〉における〈影〉もしくは〈敵〉に相当する人物（プロップはいくつかの物語に第二の敵対者を見いだしており、第一の敵対者が殺されたり打ち負かされたりしたのちに、物語の結末近くで第二の敵対者が偽の主張をおこなうことがあるとする）。

②贈与者

主人公の準備を整えさせたり、主人公に魔法の物体を与える人物〈賢者〉に相当。③や⑤、またはその合体の場合もある）。

③（魔法による）支援者

主人公の冒険を助ける人物や物体。魔法の動物、空飛ぶじゅうたん、目に見えない力などが、人間の支援者と同じように主人公を助け、人間と同じルールに従う〈仲間〉に相当）。

④姫君と父王

姫君が誘拐もしくは幽閉されている場合、姫君自身が冒険の目的となる。それ以外の場合、プロップによれば、姫君とその父親である王の物語上の役割は入れ替えることができるが、当然ながら姫君は主人公と結婚するという形をとり、王は主人公に王国を譲るか分け与えるかすることになる。本質的には、相手役もしくは権力者として、主人公に困難な課題を与え、偽者を見つけだして罰し、本物の英雄に報酬を与える役割だ。『スター・ウォーズ』のレイア姫の境遇はまさにこのおとぎ話の形式どおりで、闇の力に幽閉されるが主人公に救出され、最後は祝祭の儀式をおこなって主人公に褒美を与える。

この役割の機能は、〈変身する者〉とも似た部分がある。姫君も王も、物語のさまざまな場面で主人公に対する立場を変化させる。主人公の助けを求めたり、主人公に承認を与えたりする一方で、主人公に疑いを持ち、その人生をさらに困難なものにしようとすることもある。

⑤派遣者

足りないものを明るみに出し、主人公を送りだす人物。〝贈与者〟の人物がこの役割を演じることもあり、この機能を果たすためだけに新しいキャラクターが現れることもある（〈使者〉に相当）。

⑥主人公（被害者型の主人公／探索者型の主人公）

故郷を去り、〝贈与者〟に反応し、冒険を引きうけ、〝敵対者〟と闘い、足りないものを克服し、〝偽の主張者〟と競いあい、姫君と結婚するか王座を手にする（〈ヒーローズ・ジャーニー〉の〈主人公〉とかなり近い）。

⑦偽の主人公／偽の主張者／第二の敵対者

主人公の行動は自分の業績だと言い、姫君との結婚または王座獲得の権利は自分のものだと主張する人物。困難な課題、または三つの課題で主人公と競いあう。通常は偽の主張をしたことが明るみに出て、王か姫君の命令で、死罪か追放処分、または相応の屈辱を与えられる（〈影〉に相当する場合もあるが、主人公の闇の可能性を備えた、主人公と対をなす邪悪な人物のようでもあり、物語のクライマックスとなる決定的な局面で猛烈な挑戦を仕掛けてくる。勝利寸前で主人公に難題を吹っかける〈戸口の番人〉と同類の人物と見ることもできる）。

プロップも以上の概念を〝キャラクター〟と呼んでいるが、実際にはこの機能は、ときには複数の人間や動物、あるいは物体によって演じられることもある。これらの本質的な機能を、キャンベルの〈原型〉と併せて見ていくと、物語やキャラクターを無意識的に構築する要素が明らかになってくる。書いたものを物語と認識させるためには、ある一定の行動が、理にかなったつながりでおこなわれなければならない。その行動をおこなうための基本的な特質を持った人物も必要となる。〈原型〉、そしてプロップの物語機能分析は、キャラクター構築のアルファベットとでも呼ぶべきキャラクターの基礎や、本質的な機能を提供してくれている。キャラクターを生みだすための完全な言語を、そこから生みだすこともできるかもしれないのだ。

もちろん、キャラクターの種類は無限大だ。キャラクターの探求には、人間の心理、動機、社会環境の与える影響、その他無数の要素を一緒に考慮しなければならない。デイビッドが担当した〝環境的事実〟の章では、キャラクターやシーンをリアルにするための手法について述べ、キャラクターというものが持つほかの側面も探る。物語のなかでキャラクターがどう機能するかを知るために、次章でデイビッドが強力なツールを紹介してくれる。

アーキタイプ
〈原型〉

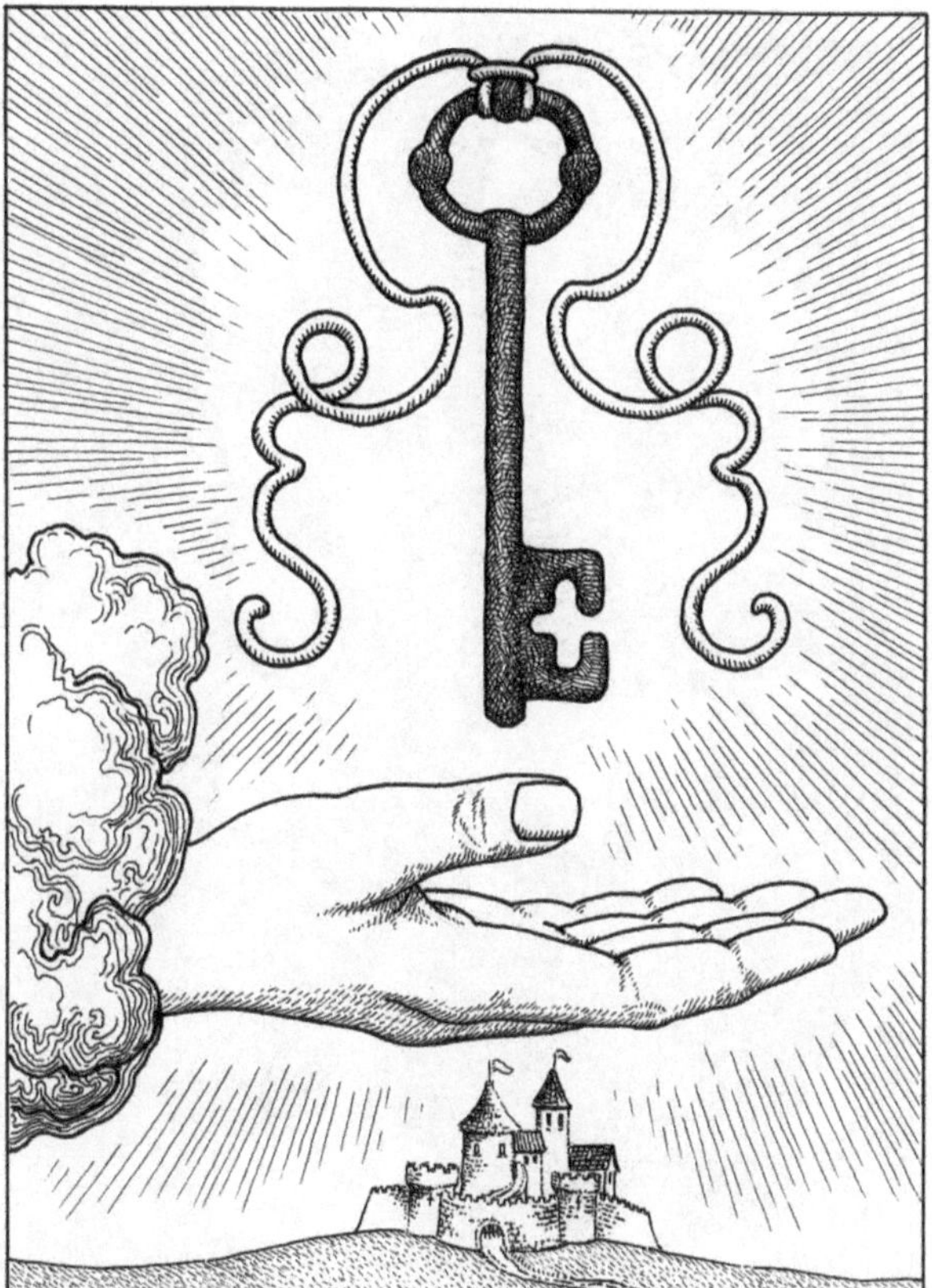

主人公

影

賢者

使者

戸口の番人

変身する者

トリックスター

仲間

第10章　キャラクターの代数方程式（及び不自然な仕事について）

マッケナ

物語はキャラクターなしでは語ることができない。だが、そもそもキャラクターとはなんだろうか？　役割を演じる役者のこと？　化粧や衣装のこと？　話される会話、それとも体が生みだす動きのこと？

この疑問に対する答えは、ある程度まではすべて「イエス」だ。しかし、僕たちライターにとって、キャラクターとはもっと根本的なものなのだ。ライターは、キャスティングや衣装デザインやリハーサルがおこなわれる前にキャラクターを創造する。では、何もないところからどうやってキャラクターを生みだせばいいのだろうか？

僕が提案する答えは、高校の代数と同じくらいに単純なものだ。

キャラクター　＝　①求めるもの　＋　②動き　＋　③障害　＋　④選択

この方程式を分析して、どう機能するかを見ていこう。

①求めるもの

〝求めるもののリスト〟と〝相互アクション〟の章でも述べたように、誰かが何かを欲しがるまでは、ドラマには何も存在しない。動機となる欲求なしには、〝静止の惰性〟がわれわれを静止状態にとどめ、何をすることもなく、行くところもない。ボールを転がせば〝求めるもの〟にたどりつけるというのでもないかぎり、わざわざボールを転がす理由は何もないのだ。

〝求めるもの〟はなんだっていい。冷蔵庫のビール、宗教的迫害からの自由、名声や富、もっといい仕事、お休みのキス。こうした物事が人を椅子から立ちあがらせ、動かしてくれる。ドラマは〝求めるもの〟から始まる（ただしそれで終わりではない）。

例をあげてみよう。映画『ゴーン・ベイビー・ゴーン』に登場する二人の私立探偵、パトリックとアンジーは、幼いアマンダを捜しだして、誘拐犯から救おうとする。『リトル・ミス・サンシャイン』のオリーブは、コンテストで優勝したいと思い、オリーブの悩み多き家族がそれに加勢する。『キューティ・ブロンド』では、エルはワーナーとの結婚を望む。〝求めるもの〟がキャラクターの心の状態を外面化させ、そこからドラマが形づくられていく。

②動き

だが、〝求めるもの〟だけではキャラクターはなりたたない。努力、つまりなんらかの動きが始まらなければならない。西部の開拓地を手に入れたければ、まず馬に乗り、神の恵み豊かな土地へと出向く必要がある。ボクシングの試合に勝ちたければ、ボクシングのグローブをはめ、リングにのぼらなければならない。電話が鳴るまで家でおとなしく待っているなら、愛を見つけるのはとうてい無理だ。

前述した例でも、キャラクターが動きに駆りたてられると、〝求めるもの〟も動きだす。パトリックとアンジーは、近所のバーを回って聞き込みを開始する。オリーブとその家族はワゴン車に荷物を積み、アリゾナに出発する。エルはワーナーがプロポーズしてくれるはずのすばらしい夜のために、せいいっぱいめかし込む。〝求めるもの〟に触発され、キャラクターが動きだし、物語が始まる。

③障害

だいぶキャラクターというものに近づいてはきたが、〝求めるもの〟や〝動き〟のほかにもまだ必要なものがある。ドラマには対立が必要だ。主人公が敵対勢力に出くわすまでは、旅路も長く退屈なものにしかならない。障害、すなわち、主人公のいる場所と、欲しいものがある場所とのあいだに立ちふさがる何かを置くことで、緊張感やサスペンスが生まれ、観客の関心を惹《ひ》きつけることができるのだ。

パトリックとアンジーは、バーにいる頑固な悪党たちにじゃまをされる。オリーブと機能不全の家族は言い争いを始め、ワゴン車の故障という災難に見舞われる。ワーナーはエルにプロポーズするどころか、エルを捨ててしまう。どの例でも、〝求める〟ものは障害に阻まれる。ここで物語を終えることもできる。

④選択

ここで方程式の最後の要素だ。主人公が何かを求め、それを手に入れる方向へと動きだせば、ボールが転がりだす。障害がボールを止めてしまったら、主人公はどうするか決めなければならない。障害を打ち破るまで強引にまっすぐ進む？　〝求めるもの〟をあきらめてほかのものを選ぶ？　回り道をして違う計画に移行する？

つまり、主人公は〝選択〟をしなければならず、この〝選択〟の特質がキャラクターを生みだすのだ。

パトリックとアンジーは、自分たちだけでやり抜こうとするかわりに警官と手を組むが、この選択は二人のすべてを物語っている。二人の選択が、この物語、そしてこのキャラクターたちの特質となる。これと同じ状況で、障害に対し違う対処を選ぶ主人公を描けば、物語はまったく違うものになるはずだ。

オリーブや家族の口論はやまないが、それでも彼らは足手まといになっているワゴン車を押していき、冒険の旅を続けようとする。キャラクターたちはそれぞれに心の痛みを抱え、家族としてはばらばらだが、みんなで決めた〝選択〟のもとに結束する。この脚本を書いたマイケル・アーントは、個人の悩みとチームワークのあいだの対立図式を継続し、観客は物語の行く末を案じてハラハラする。

エルが別の男を見つけるのはたやすいが、エルが求めるのはワーナーだけなのだ。そこでエルは、ロー・スクールに入学し、ハーバードでワーナーの新生活に割り込んでやろうという、とんでもない〝選択〟をする。こんな選択は普通はありえないし、だからこそこの決断は、エルがとても特殊なキャラクターであることを示すことになる。

キャラクターの〝選択〟が彼らを個別化する。観客は、キャラクターが何を選んだかによって、その人物が何者なのかを知る。質のいい脚本は、〝求めるもの〟に向かおうとするキャラクターに、たえず選択を迫る。

方程式と不自然な仕事

このキャラクターの基本方程式は、ドラマのストーリーテリングの基盤となるツールだ。しかし、自分の書いた物語で観客の心を奪いたいのなら、基盤を極限まで押し広げなければならない。

極端なことをすると、良質なドラマのストーリーテリングも不自然なものになる。つまり、早く満足したいという意味では観客も物語の主人公も同じで、主人公としては、できれば脚本の二ページめで〝求めるもの〟を手に入れてしまいたいのだ。だが、物語作家は二ページめで話を終えるわけにいかないので、主人公の道のりに障害を放り込みつづける必要がある。主人公が求めているものをなかなか近づけないようなものにしたり、同じものを求めて挑戦してくるライバルを出現させたりする。第二の〝求めるもの〟が出現し、何が欲しいのかわからなくさせるという手もある。

僕の生徒の若い脚本家たちは、主人公と自分を同一視しがちなので、主人公に過酷な時間を与えるのをためらう傾向がある。だが、優秀な生徒たちは、自分のサディスティックな創造力を解き放ち、腹だたしいほど過酷な障害を次々くりだして、愛すべき主人公をたっぷり二時間分の〝選択〟に追い込む。こうした生徒たちは、物語を駆りたてつづけるためには、主人公の目的達成をたえず阻む必要があることを理解しているのだ。

ギリシャ神話では、オルフェウスは妻のエウリュディケといつまでも幸せに暮らしたいと願っていたが、悲しいかな、妻は突然に死んでしまった。オルフェウスが求めるものはエウリュディケだけであり、彼はステュクス川を渡って冥界《めいかい》におもむき、妻を取りもどそうとした。オルフェウスが一歩進むごとに障害が待ちうける。すべての困難に逆らい、どんなふうに妻を奪還するつもりなのだろう？　オルフェウスはたえず障害に直面し、そのたび選択を迫られる。

ホメロスの『オデュッセイア』では、オデュッセウスはトロイで一〇年に及ぶ戦争を終えたばかりで、妻と子の待つ故郷へ早く帰りたいと思っている。そう遠くもない、二、三週間も船に乗れば普通に帰れる場所だ。しかし、熟練の語り部であるホメロスは、オデュッセウスが執念深い神々を怒らせるよう仕向け、船の難破、嵐、幻覚を見る薬、反抗的な水夫、人食い怪物、発情した魔女による嫉妬《しっと》深い要求などがやってきて、オデュッセウスは求めているものになかなか近づけない。故郷にたどりつくまでに、主人公はすでに途方もない犠牲を払わされている。それでもホメロスは、故郷を目の前にした主人公にさらなる試練を与えたうえで、オデュッセウスがいかに真の褒美を手に入れたかを劇的に描くのだ。

サディスティックなクリエイターは、キャラクターに〝求めるもの〟を背負わせ、その人物と手に入れたい目的とのあいだに大量の障害が待ち受ける場所へと送りだす。現実の人生では、できれば避けたい状況そのものである。主人公が求めるものを手に入れるまでに、できるかぎりの厳しい試練を用意してやる。主人公を危険に追い込み、どこまでやれるか見せてみろと挑発してやるのだ。

陰険で不自然な仕事だ。しかし誰かがやらなければなるまい。

それはともかく、オルフェウスやオデュッセウスの物語は、真に受けるにはあまりにガタのきた古すぎる話だと思う読者もいるかもしれない。そのときは、バズ・ラーマン監督の『ムーラン・ルージュ』（オルフェウスの物語の要素をリミックスした作品）や、コーエン兄弟の『オー・ブラザー！』（オデュッセウスをミシシッピの脱獄囚にリメイクしたとっぴなコメディ）をチェックしてみることをお勧めする。ガタのきた古くさい物語でも、まだまだたくさんのエネルギーが詰まっていることがわかるはずだ。

考えてみよう

1　このツールは、ちょっと使ってみるだけで、とにかく役にたつことがわかるはずだ。

〈キャラクター＝求めるもの＋動き＋障害＋選択〉という方程式を、『ハリー・ポッター』の冒険物語に適用してみてほしい。ハリーやクラスメイトそれぞれの状況と選択が、彼らについてどんなことを教えてくれているだろう？　『となりのサインフェルド』のようなシチュエーション・コメディのエピソードや、『アズ・ザ・ワールド・ターンズ』のようなソープオペラ（連続メロドラマ）のストーリーラインにこの方程式を使った場合はどうだろう？

2　キャラクターの方程式を、自分の書いた物語に当てはめてみよう。求めるもの、動き、障害、選択が、何に当たるかを調べてみよう。キャラクターの心の欲求を効果的に脚色するために、サディスティックに障害を置くことができているだろうか？

ボグラーからひと言

デイビッド、君が古典に言及するなんて、ちょっとドキッとするじゃないか。〝ガタのきた古くさい〟神話を論じることを期待されているのは、この私のほうだと思っていたよ。とはいえ、オルフェウスの伝説や『オデュッセイア』が、君の言いたいことを説明するすばらしい例だったことは認めざるをえないね。私もスポーツを引き合いに出したい誘惑にかられたけど、軽はずみなことはやめることにするよ。

このキャラクターの方程式は、物語がどんなふうに機能するものかを、マクロの視点からもミクロの視点からも理解しやすくしてくれる。物語の円弧全体だけでなく、場面レベルの力学も正確に説明してくれる。この方程式を、ひと続きのループと見ることもできる。求めるもの、動き、障害が選択を導くとき、選択はその先の求めるもの、障害、動きを生みだし、そしてまた選択がやってくるというふうにだ。デイビッドの相互アクションの原理によって、主人公の選択がつねに結果を生み、それに対して悪者が試練を用意して、主人公のじゃまをしに戻ってくる。最後に悪者が打ち負かされるまでは、それがずっと続くのだ。

第11章　キャラクターとテオプラストス

ボグラー

〝神さまも出てこない、運命も関係ない、重たい事件はあとまわし〟
――スティーブン・サンドハイム作詞『コメディ・トゥナイト』、ミュージカル『ローマで起った奇妙な出来事』より

ここでクイズをひとつ。二三〇〇年前にレズビアン（正確にはレスボス島出身の男性だが）が書いた小冊子にインスパイアされて生まれ、ブロードウェイで大ヒットしたミュージカルはなんだ？

答え――古典的コメディ、『ローマで起った奇妙な出来事』だ。

作詞作曲はスティーブン・サンドハイム、脚本はバート・シーブラブとラリー・ゲルバートによるこのロングラン・ミュージカルは、ヒット映画にもなった。観客にとっても演者にとってもとにかく楽しい作品なので、しょっちゅうどこかの劇場でリバイバル上演されている。そして、この作品のルーツは、紀元前三世紀に書かれた、滑稽《こっけい》なキャラクターの素描作品集にある。

この小冊子は、アリストテレスの優秀な弟子、テオプラストスの作品だ。『ローマ』を生みだした一連のアイデアは、テオプラストスが人物の素描をおこなった短い書物から採用

されたもので、この書物には『キャラクターたち』という題名が与えられている【訳注：邦訳『人さまざま』（岩波文庫、二〇〇三年）】。現実味のあるキャラクターを生みだしたり描写したりするための戦略を、いかにして発展させるべきか知りたい物語作家は、テオプラストスを読むことから始めるべきだ。キャラクター執筆の真の先駆者であるテオプラストスが、この問題に取り組むために最初にやったことは、アテネの市場で見かけるおなじみの行動パターンを30あげてみることだった。

テオプラストスは、ウィットの利いた簡潔な言葉を駆使して、同胞の市民たちの生き残り戦略や、荒っぽいパーソナリティを描きだしていった。今日読んでも愉快な文章で、そこに描かれる人間的な欠点は、いまも世界中の市場やストリートでも見つけだせるものだ。自己中心的、無作法、ひとりよがり、無分別といった人間の性質をおもしろがりながら、無数の場面における無数の喜劇が描かれている。今日でもそのパワーが衰えることはなく、物語作家が自分のキャラクターに生命を吹き込みたければ、スタートラインとするのに役だつ書物である。

本章では、テオプラストスが書いた30のキャラクターの類型に簡単に触れ、よりよいキャラクターを生むためにこの類型を活用する方法を提案していきたい。もし本気でやろうと思うのなら、私がこの仕事を学びはじめたころにやったことをやってみてほしい。『キャラクターたち』の完全版を手に入れ、先入観なしにすべての素描を読んでみよう。風刺画の入った版を見つけられればなおいい——テオプラストスの書きとめた人間の性質に、後世の画家が添えたコミカルな顔を見るのも楽しいものだ。参考までに、30の類型をあとでまとめておくので、それを使って実験を始めるのも可能だ。

そもそもテオプラストスとは何者か?

テオプラストスは師匠のアリストテレスほど有名ではないが、ソクラテスから始まって鎖のように続いた、すばらしい師弟関係の系譜を継いだ人物である。ソクラテスの弟子はプラトンで、プラトンの弟子がアリストテレスであり、アリストテレスは、その後継者にふさわしい弟子であったテオプラストスに、自分が先人から引き継いだすべての知識を伝授した。

〝テオプラストス〟はニックネームだ。本名はエレソスのティルタモスで、エレソスはレスボス島にある町の名である。ティルタモスは、知識の道標たるプラトンのアカデメイアに行くために、アテネに出ていった。ティルタモスに〝テオプラストス(聖なる話し手)〟というあだ名をつけたのはプラトンで、弁舌の才能に恵まれていたことがうかがわれる。プラトンの死後は、アリストテレスの忠実で勤勉な弟子となった。

テオプラストスは師の高い要求に応《こた》えようと努力し、さまざまなテーマの書物を何百冊と書いた。アリストテレスはテオプラストスに、アカデメイアの指導者の地位と、自分の知識をすべて託して亡くなった。

テオプラストスの著作の大半は、失われたり忘れられたりしてしまったが、われわれにとっては幸いなことに『キャラクターたち』は残り、そして息を吹き返した。ルネサンス時代にアリストテレスの業績とともに再評価されたおかげで、人物の素描やパーソナリティの理論という文学ジャンルが模倣され、大量に書かれるようになり、キャラクターの類型を活用した芝居や小説もたくさん登場した。

『キャラクターたち』の計画

テオプラストスには、単純だが革命的な計画があった。アテネの広場や市場に出向いて、目をしっかりあけ、耳をそばだてた。彼が見聞きしたものは、ずる賢い商人やいかめしい兵士、誇り高い運動選手や物静かな哲学者が親しく接する、活気に満ちた生活の見事な縮図だった。テオプラストスは、たくさんの人々がくり返すふるまいや態度にある種のパターンを見いだすようになり、やがてそれを、誰もが知っているようないくつかのタイプに分類した。人生に似かよった見解を持ち、似かよった戦略で生き残りや成功を図る人々というのがいて、それをタイプ別に認識していった。テオプラストスは、こうした類型に見られる行動を、さまざまな社会的状況を背景に簡潔に書きつらね、各類型を二〇〇語以内でまとめていった。

テオプラストスのあげた事例は滑稽で具体的だ。たとえば、〝粗野〟な男の傾向は、短い上衣《うわぎ》のまま外に出て座るので、体のプライベートな部位が丸見えになってしまうと書いている。ゆるゆるのズボンで身を屈《かが》める配管工や、無分別な水着でビーチにやってくる男どもなど、現代の状況もそう変わりはない。テオプラストスの論調は、アテネの同胞の不愉快な習癖を我慢しつつも、どこかおもしろがっているようなところがある。

それから二三〇〇年も過ぎれば、人の行動も変わると思うかもしれないが、近所のマーケットやコーヒーショップに行けば、この類型の大半はすぐに見つかる。たいていのキャラクター類型は、つけられた名称がわかればそれだけで充分だが、各類型やキャラクターの特徴がわかるような短い説明も添え、次に並べてみよう。あくまで概要のみにとどめておく。テオプラストスの優れた翻訳を見つけて読み、そのおどけた文体を味わったほうが、ずっとためになるからだ。

テオプラストスのキャラクター類型

皮肉屋はミスター・偽善者である。二面性があり、思っていることを決して言わない。

へつらい屋は、自分より上の相手に取り入ろうとする。

無駄口屋は、どうでもいいことを話す自分が好き。

粗野な人間は、騒々しく、趣味のよさやマナーというものを知らない。

お愛想を言う人間は、人が聞きたいことを言い、人から好意を持たれたがっている。

無頼の人間は、自制心がなく、なんにでもやみくもに突っ込んでいく。いいかげんなことをやってはトラブルに巻き込まれ、大声でしゃべる。

おしゃべり好きは、人に口を挟ませない。

噂好きは、自分の聞きたくない噂は聞かず、話をすぐに大きくする。

恥知らずは、度胸があり、列に割り込んだり、金も払わずに催しにもぐり込んだり、ケーキに指を突っ込んだりすることを恥ずかしいと思わない。

けちは、どうでもいいことで長々と損得の計算をする。

いやがらせをする男は、女性への敬意や他者への礼儀というものがない。

タイミングの悪い人間は、ふさわしい時というものを知らず、いつでもやってはいけないところでよけいな口を挟む。

おせっかいは、他人のことに出しゃばって介入したがる。

愚か者は、大事なことがわからず、冗談も理解できない。

へそまがりは、恨みがましく、クズ置き場の野良犬のようになっている。

迷信深い人間は、簡単におびえ、たわいのない言い伝えをすべて信じている。

不平屋は、自分が公平に扱われていないとたえず文句を言っている。

疑い深い人間は、誰のことも疑い、仲間のことも高く評価しない。

不潔な人間は、汚れた上衣を着て、あごひげに食べかすをつけたまま、下品にうろうろしてばかりいる。

無作法な人間は、考えの浅い、うんざりするような、不適切なことを言うのが得意である。

見栄っぱりな人間は、最新の流行を追いかけることで自分の地位を示し、どうでもいい功績に大げさな重みを持たせようとする。

しみったれは、目の見えない物乞《ものご》いの手から金を奪うようなさもしい人間である。卑劣な告げ口もする。

ほら吹きは、ちっぽけな、あるいは空想の功績で自画自賛ばかりしている。

横柄な人間は、自分こそ最高の人間で、誰よりもまさっていると考えている。

臆病《おくびよう》者は、人との対立からこそこそと逃げるが、争いが終わると手柄を吹聴する。

独裁者（権力好き）は自分や自分の属する階級の権力に貪欲《どんよく》である。社会規範を自分の都合のいいように変えたがる。

年寄りの冷や水をする人間は、年相応のふるまいをせず、昔取った杵柄《きねづか》にしがみついている。ミスター・未熟者。

悪態好きは、陰口を叩《たた》き、誰についても悪口を言う。

悪人びいきは、よくない人々と関わりあい、社会の最悪の人間たちを擁護する。

貪欲（欲深）な人間は、富をかき集めることしか考えず、ありとあらゆる金銭的な優位を獲得しようとする。

キャラクターの簡潔な素描をもう少し味わうために、二つの例を現代的な文章に書きかえて示しておく。タイミングの悪い人間と、疑り深い人間だ。

タイミングの悪い人間は、バッドタイミングの天才である。忙しい相手のところへ行って、自分のトラブルを細かいところまで全部語る。想い人が熱を出しているときに求愛する。すでに終わった裁判の証拠をあとから持ってくる。結婚式に招待されれば、女性への不満を声高にぶちまけ、雰囲気をだいなしにする。長旅から戻ったばかりの相手をハイキングに誘う。誰かが何かを売ると、もう遅すぎるのにもっと高値で買うという人間を連れてくる。相手がそらで言えるほど熟知している話を長々と語りたがる。奴隷に罰を与えているときに、罰を与えた自分の奴隷が首を吊《つ》ってしまったという昔話を持ちだす。言い争っていた者同士がようやく和解しかけたところへ現れて、論点を最初から全部蒸し返す。酔っぱらっていい気分で踊りたくなると、完全なしらふの相手を強引にパートナーにする。

疑り深い人間は、奴隷を市場に行かせ、別の奴隷が買った品物の値段を確かめさせる。現金を持ち歩くときは、二〇〇メートル歩くごとに立ち止まって金を数える。夜眠るとき、金庫は閉まっているか、扉や窓には鍵《かぎ》がかかっているかと妻に訊《たず》ね、妻が「ええ、あなた」と返事をしても、どのみち立ちあがって裸足《はだし》で歩きまわり、すべてをもう一度確認し、それでも金品が盗まれやしないかと心配でおちおち眠れない。服を洗濯に出すときは、どの洗濯屋がいちばんいい仕事をするかはどうでもよく、何か事故があったらいちばん高い補償をしてくれる洗濯屋に頼む。近所の住人にカップを貸してほしいと頼まれれば、できるだけ口実をつけて断るが、相手が親戚《しんせき》や親しい友人の場合は、カップの目方や大きさを測り、借用書を作成して相手に署名させる。自分の奴隷が逃げたがっていると思い込み、必ず自分の前を歩かせて監視する。誰かに何かを売って、金の持ち合わせがないからあとで払うと買い手に言われると、「問題ないですよ、お時間があるならいますぐ一緒に銀行へ行きましょう」と提案する。

『キャラクターたち』が画期的なのは、普通の人間の行動を分類しようとした例がそれまでなかったからだ。当時の芸術や文学は、英雄や神々の大望を讃《たた》えるために生みだされるものであり、庶民を題材にした彫像や芝居が創られることはめったになかった。『キャラクターたち』は、芸術における社会的リアリズムの始まりだったとも言える。

『キャラクターたち』の活用法

私が初めて『キャラクターたち』に出会ったとき、これは神からの贈り物だと思った。物語の構造やキャラクターを扱うための体系を、ずっと探していたところだったからだ。キャンベルの〈ヒーローズ・ジャーニー〉の研究や、シド・フィールドの〝三幕構成〟のおかげで、物語構造理論の穴はおおかた埋まったし、ユング心理学の原型も多少はキャラクター創りのツールになってくれたが、そこで私は行き詰まっていた。

ユングの原型がキャラクターの神話的な本質について教えてくれたものの、それをどう混合するか、どうすれば人の性質の興味深い矛盾をまとわせられるか、どうやったら現実味を持たせられるかの答えにはならなかった。

そこへ『キャラクターたち』が現れ、私のアイデアを揺り動かし、ツールセットを完成させてくれたのだ。

考えられるキャラクターのメニュー

『キャラクターたち』という題名は、多少の誤解を招くかもしれない。素描による人物像は、現代的な感覚で言うキャラクター、つまり、複雑な動因や何層もの行動パターンを備えた三次元の人間としての〝キャラクター〟とは少し異なるからだ。むしろこの書物は、考えられるキャラクターの行動や欠点を、メニューのように羅列したものと言える。われわれが期待するような深みと多面性のある、血のかよったキャラクターというよりは、キャラクターの否定的な特徴を記述しただけのものだ。むしろ、『キャラクターの側面』『キャラクターの顔』などとしたほうが正確だと思う。

とはいえ、この素描はスタート地点にはちがいない。飾りけのない舞台にこの人々を出すだけでも、いくらか笑いはとれるはずだ。この『キャラクターたち』が書かれてすぐ、アテネの劇作家がやったこともまさにそれだった。ただし作家たちは、このキャラクターの特徴を音符のように奏でたり、組みあわせて和音にすることをすぐに学んだ。テオプラストスが容赦ない言葉で描いた同時代人の肖像は、何世紀かのあいだはありのままに舞台で演じられたが、二〇〇〇年がたとうとするころには、もっと巧みな組みあわせで活用されるようになり、われわれも楽しめる陰影や複雑さを備えるようになった。

混合と組みあわせ

キャラクターの特徴のなかから二つかそれ以上をただ組みあわせるだけでも、一面的なステレオタイプ（紋切り型）ではない、現実味のあるキャラクターらしきものは生まれてくる。たとえば臆病者とほら吹きをひとつにまとめれば、シェイクスピアの愛すべき悪党フォルスタッフのように、声高な自慢をして自分の恐れや不安を隠そうとする人物となり、よりリアルさが出るだろう。コメディア・デラルテ【訳注：十六世紀発祥のイタリア即興演劇】のストック・キャラクター（あらかじめ決められた登場人物）の〝軍人《イル・カピターノ》〟もこの二種類の特徴を持っていて、のちに別の特徴も加わり、もっと現実感のある〝スカラムッチャ（小競り合い）〟と呼ばれる道化に発展していった。ほら吹きの臆病な道化だが、頭もよく、よき恋人で、ときには勇気を振り絞ることもある。

二つならよし、三つならなおよし

うまくやる秘《ひ》訣《けつ》は、自分のどのキャラクターも、少なくとも三つの特徴を使って動かそうとしてみることだ。ラジオやテレビで活躍したコメディアンのジャック・ベニーのようなキャラクターは、けち、臆病、年寄りの冷や水の混合と見ることができる。安っぽく、おどおどして、いくつになっても変わらず、自分は三十九歳だといつまでも言いつづける。特徴の二つを対立的に置くだけでも、笑わせることはできただろう。実際、ベニーを有名にした彼の役どころは、現実的な臆病さと、けちでしみったれた性格との対立を備えたキャラクターだった。強盗につかまって銃をつきつけられ「金か命か、どっちが惜しいんだ！」と言われたベニーは、完璧《かんぺき》な間合いをとった長い沈黙ののちに、こう叫ぶ。「いま考えてる！」臆病で金にうるさい人物というだけでもキャリアは築けたかもしれないが、ベニーは自分の舞台上のパーソナリティに、第三の性格、すなわち、自分の若さにしがみつく見栄《みえ》っぱりという性格を加え、さらにさまざまな喜劇のシチュエーションを生みだすことができた。

実験してみよう。テオプラストスが叙述した人の特徴から、無作為に三つを選び、その特徴をすべて備えたキャラクターを創ってみてほしい。キャラクターが一度にひとつ以上の特徴を示せるようにし、各特徴のつながりを見つけ、ひとつの特徴がほかの特徴にどう影響しているか、これらの特徴が喜劇的なトラブルやドラマティックな場面にどう生かせるかを考えてみよう。

もっと多ければもっとおもしろい

テオプラストスのキャラクターを三つ組みあわせたら終わりというわけではない（この言葉は早口で三回くり返しておこう）。さらに積みかさねてみよう。特徴を10備えたキャラクターを創るとどうなるかを試してみよう。たとえば、テレビドラマの『ジ・オフィス』の通常のエピソードで、スティーブ・カレルが演じる間抜けでけちな上司のマイケル・スコットは、『キャラクターたち』に書かれた人間の欠点をひとつ残らず示していると言ってもいいキャラクターだ。

自分のリストを作ってみよう

テオプラストスが観察した人間の特徴だけにこだわる必要はない。『キャラクターたち』は初めの一歩であるべきで、それ以降は、自分で長い長いキャラクターの特徴リストを作っていくといい。キャラクター類型の名称をじっくりながめれば、ほかの特徴やよく見かけるタイプが自分でも思い浮かぶだろうし、それを自分のリストに加えるといい――恥ずかしがり屋、反逆者、オタク、お助け人、非難好き、携帯電話中毒、お人好《ひとよ》し、つねにひと足遅い人。ライターとしてこうした訓練を積んだことがなければ、いますぐ始めよう。ブレインストーミングのセッションなどで、自分自身や周囲の人々に見られる30のキャラクター類型を、すばやく書きだしていってみよう。

テオプラストスと同じように、おそらくは否定的な特徴をあげていくのがいちばん簡単だが、キャラクターの欠点ばかりに縛られる必要はない。人の美徳や肯定的な特徴をあげてもいい。正直者、頼れる人物、寛容な人物、真実を伝える人など、さらにリストに加えていける項目が出てくるだろう。

キャラクター素描にトライしてみよう

効率的にキャラクターを素描できる力は、小説家や映画脚本家ならぜひ身につけたい技能だ。特殊な行動の例、ときには特徴的な会話の例を使って人の特徴を定義したテオプラストスは、この技術を教わるにはいい先生になってくれるはずだ。

試しに、自分のキャラクター類型リストからひとつを選び、テオプラストスのような文体で、できれば二〇〇単語程度で、少し詳細な説明を書いてみてほしい。その特徴を持つ誰かの典型的な行動や、典型的な会話も挿入しよう。そのタイプの人物は、与えられた状況にどう反応するだろうか？　どんなふうに部屋に入り、通りを歩き、人と取引し、ニュースに反応し、物事に対処するだろうか？　世間にどんな見解を持っているだろう？　（たとえば、みんなが自分を打ち負かそうとする、世界には行くべきところがたくさんある、世間の人は誰も信用できない、すべてのことは最後には最良の結果に落ちつく、など）

もちろんこれは、人物のタイプや行動類型の一般的な描写でかまわない。キャラクター素描のもうひとつの手法として、本物の例を見て描写するというのがあり、ライターはこちらの訓練もおこなう必要があるが、一般的な行動の傾向を観察し、記録してリストを増やすことは、自分の想像上のキャラクターに現実味のある深みや複雑さを与えることを学ぶには、有益なステップとなるはずだ。

さらに進んだ実験

これをゲームにしてみよう。まず、テオプラストスのキャラクター類型のリスト、もしくは自分で作ったリストを印刷する。それを各類型ごとにばらばらに切り離し、一緒にしてかきまぜる。そこから無作為に三つを選び、どんなコンビネーションができるかを考える。三つの特徴すべてを持ったキャラクターについて書いてみる。そのあと、そのキャラクターで物語を考えてみよう。

自分の演技スキルも試してみたいなら、ジェスチャーゲームの要領でやってみてもいい。くじ引き形式で、ひとりがひとつの特徴を選んで演じ、ほかのメンバーにどの特徴かを当てさせる。さらにレベルの高い挑戦にしたければ、一度に二つか三つの特徴を引き、演技ですべてをうまく表現できるかやってみるのもいい。

キャラクター類型で陽気に楽しんでみよう。いざ自分の物語のキャラクターを創るときがきたら、この経験はきっと役にたつ。キャラクターに多面性を持たせるためには、ひとつだけの特徴ではなく、共通点があったり対立しあったりする多数の特徴を与えるべきだということを、忘れないでいてほしい。

脇役

人の特徴を組みあわせたり重層化したりすることは、特に脇役創りにおいては、ちっぽけな役であっても非常に有効だ。たいていのライターは、主人公や悪役に複数の特徴を与えるやりかたは知っている（たとえば『ライオン・キング』のシンバは好奇心が強く友好的で勇敢で、悪役のスカーは賢く愛想がいいが野心的で嫉妬《しっと》深い）が、その他のキャラクターにはひとつしか特徴を与えなかったり、しばしばステレオタイプの集団にして紋切り型の特徴しか与えなかったりするので、そこには驚くような特質も矛盾した性質もなく、現実味も魅力もなくなってしまう。ほんの一シーンのみの登場で台詞《セリフ》もない、退屈で決まりきった役どころの探偵や悪者の巨漢ボディガードであっても、二つか三つの意外な特徴を持つキャラクターに仕上げていれば、突然3Dのように生き生きと物語から飛びだしてくることもある。

たとえば、探偵や悪党の下っ端を、期待されるとおりにタフでさもしいタイプにしたうえで、オペラ好きで母親思いという設定を加えてもいい。役者は「この世に小さな役というのは存在しない、いるのは小さな役者だけだ」【訳注：演出家K・スタニスラフスキーの有名な言葉】ということを知っているし、話のなかでいちばん登場シーンが短くても、その役に少しでも多く特徴を持たせようとする。昔の映画界で性格俳優と呼ばれた役者の多くは、平凡な役柄でも、個性的なしぐさで帽子を傾けたり、そのキャラクターの別のパーソナリティを示す独特の歩きかたをしたりして、存在を印象づけたものだ。

『キャラクターたち』の肯定的な修正

お気づきと思うが、テオプラストスが書いた行動類型は、すべて否定的な特質か悪癖、つまりはキャラクターの欠点ばかりだ。あまりにネガティブなものばかりなので、テオプラストスがバランスをとるために、本当は肯定的なキャラクターの類型も書いていた、あるいは書こうとしていたのではないかと考えている評論家もいて、道徳的な過ち同様、美徳を書いた一覧もあったという憶測もある。テオプラストスは序文のなかで、九十九歳の老人が友人に助言するという形式をとり、「人々の善良さと不品行の両方」をじっくり観察したと述べていて、アテネの若い人々はここに書かれたキャラクターのふるまいをよく学び、最高の人々と交流するようにして、その行動を見習うべきだとも言っている。だが、『キャラクターたち』に出てくる性質の人々は、交流を深めたいと思える相手ではないだろう。『キャラクターたち』のなかには、警告めいた言葉や、避けるべき習慣と生活スタイルも書かれている。テオプラストスが美徳を持つキャラクターの素描も書き残していたと考えるのは妥当と思えるが、それは歴史のなかで消えてしまった。いつの日か、エジプトのミイラか何かを包んだ布の中から、失われていた小冊子が見つかるようなこともあるかもしれないが、それまでわれわれは、自分で肯定的なキャラクターの類型や習慣、人生の戦略などをリストにして、短所と長所のバランスのとれた『キャラクターたち』を書きあげておくしかない。

私がテオプラストスに出会ったばかりのころは、自分でもこうした試みをやり、それからテオプラストスが残したささやかな肖像からあふれてくる思索や楽しさをじっくり吟味しはじめた。デイビッド・マッケナと私が物語を機能させる方法を討論するなかで、『キャラクターたち』も二人であれこれいじりまわしたもののひとつだ。演劇を学んでいたデイビッドは、テオプラストスのことも、その作品がギリシャやローマの戯曲にどれだけ影響を与えたかも知っていた。最初に私がテオプラストスの話題に触れたとき、デイビッドはこう言った。「ああそうさ、ローマ人もやっと理解したんだ。テオプラストスの類型を二つ組みあわせればキャラクターがよくなることや、三つならもっといいものができるってことをね」

そのとき初めて私は、映画評論家や脚本ライティングの教師が、キャラクターは〝三次元《3D》〟のものでなければならないと言う意味を理解した。

ちょっと待った――これはステレオタイプとは違うのか?

テオプラストスのキャラクター類型こそステレオタイプの羅列じゃないか、と意見する人もいるだろう。だとしたら、これは単純な要約による人間目録に過ぎなくなり、現実の人間の複雑さをあいまいなものにしてしまう恐れもある。どれだけラベルや分類項目を増やしても、情報量の少ないものとしてしか使えないのなら、それには慎重にならなければいけない。

それでもなお、ステレオタイプは物語に役だてることができる。ステレオタイプは観客にも識別しやすいので、そこを逆手にとり、ステレオタイプを強調して観客に同調するふりをしておいて、期待を裏切り、ステレオタイプをくつがえして破壊してしまうのだ。守銭奴のキャラクターも、自分のパーソナリティにおける別の動因、たとえば肉欲や虚栄心などを満たせるチャンスがあれば、びっくりするほど太っ腹になることはある。うぬぼれ屋が見せる一瞬の謙虚さが人を驚かすこともある。『レミーのおいしいレストラン』に出てくる嫌味な料理評論家は、まさに〝気むずかしい評論家〟のステレオタイプだが、幼いころに食べたものと同じ味を口にし、楽しかった思い出を呼び覚まされたとき、型を破り、作品中でも最も忘れがたい情緒的な場面を生みだす。

分類や類型は、スペクトルのなかの色、楽曲の音符、アルファベットの文字のような使いかたができる。観客がすぐにそれを認識できるだけでなく、目新しい組み合わせにすることで、キャラクターの潜在能力を最大限に引きだすこともできる。ステレオタイプは必ずしも悪いものではない。人や状況の分類に役だつし、キャラクターや場面の内容をすぐさま観客に理解させるのにも有効だ。しかし、ステレオタイプの本当の利点は、ステレオタイプそのものをくつがえし、観客の安易な期待をひっくり返したときに発揮され、さらなる楽しさや劇的効果を生みだせることにある。

シネコンで起った奇妙な出来事

ところで、テオプラストスの素描は、いったいどうやって『ローマで起った奇妙な出来事』に生まれ変わったのだろうか。

サンドハイム、ゲルバート、シーブラブが『ローマ』の製作のために集まったのは、一九六二年のことで、最初に彼らがインスピレーションを得たのは、ローマの劇作家プラウトゥスの喜劇だった。プラウトゥスの戯曲には、好色な老人、横柄な妻、賢い奴隷、善良な娼婦など、のちに『ローマ』にも登場する典型的なキャラクターが使われていた。実はプラウトゥスの戯曲は、同様に典型的なキャラクターを使っているギリシャの劇作家メナンドロスの作品に基づいていて、そのメナンドロスもまた、さらに自分の師からキャラクターを借用していた。その師とは誰か？　そう、あのテオプラストスだ。テオプラストスがいなければ、メナンドロスもプラウトゥスもいなかった――そして『ローマ』も生まれなかったのだ。

メナンドロスは、テオプラストスがアカデメイアの指導者だった時期、そこで学んでいたと思われる。もしそうなら、同級生の大半が哲学者になるべく勉学に励んでいるとき、メナンドロスは喜劇作家を目指して精進していたわけだ。『千の顔をもつ英雄』という無名の学術書にひそむ力を見いだしたジョージ・ルーカスのように、メナンドロスもすばらしい書物を見つけだし、それで物語を創りはじめたのだ。『キャラクターたち』が手に入ると、メナンドロスはテオプラストスの生き生きとした辛辣《しんらつ》な素描を原料として使い、戯曲のキャラクターを創った。テオプラストスが書いたとおりのものを、特定の行動パターンを明確に表現するために活用し、ニュアンスや陰影というものはあまり加えなかった。

奇跡的発見

メナンドロスの戯曲の大半は、ミイラを包んだパピルスの断片とローマの写本でしか見つかっていなかったが、一九五二年、奇跡的に、ほぼ完全な形の『気むずかし屋』が、エジプトのパピルスのコレクションから発見された。メナンドロスはテオプラストスの〝へそまがり〟の素描からインスピレーションを得て、このドタバタ喜劇を書いたと見られる。いたずら好きの牧羊神パンの仕業で、若い男がある娘に恋をしてしまい、娘の父親で怒りっぽい老農夫がその男を追いまわし、平和な田舎に騒動が巻きおこるという喜劇だ。若者は近所の農場で働いて自分の能力を証明し、老農夫は井戸に落ちたときにその若者に助けられて態度を改める。気むずかし屋の農夫は、他人の助けなしには生きていけないことを悟り、若い男と娘の結婚を祝福する。

この戯曲は、史上初めてひと目惚《ぼ》れの恋を描いた作品とも言われている。作者は、頑固な男が若者の力を借り、愛のある人生を学びなおすという筋書きのなかで、キャラクターが起こす劇的な変化が、大きな感情的効果をもたらすことに気づいていた。

この仕掛けはいまだに効き目があり、『恋愛小説家』のジャック・ニコルソンとヘレン・ハント、あるいは、ピクサー・アニメーション版の『気むずかし屋』とでも呼ぶべき映画、『カールじいさんの空飛ぶ家』にオスカーをもたらした。

テオプラストスからインスピレーションを得たメナンドロスの戯曲に、アテネの観客はうろたえた。なじみ深い人物を舞台上に見つけたことに衝撃を覚えたのだ。滑稽で腹だたしい短所をあからさまに示す、見覚えのある人物がそこにいた。テオプラストスやメナンドロスが描写したキャラクターは、一般化されてはいるが、理想化された神や英雄のイメージに基づいたものではなく、現実の人生から持ってきたものであり、彼らの作品は魅力のあるリアルな人物を生むことに成功していると見なされた。神話や悲劇も、ときには神や神聖化された英雄に、異常な精神状態の行動をとらせることもある。『キャラクターたち』やメナンドロスの喜劇は、こうしたギリシャの伝統の発展形と見えなくもなく、そこでは普通の人間たちが、神経病のようなふるまいを見せているのだ。

評判を呼んだことは想像がつくし、当時としてはスリリングな芝居だっただろう。こうしたタイプの行動パターンが舞台で表現されたのは初めてで、きっとカウボーイやギャング、冒険活劇の海賊などが、映画に初めて登場したときのような騒ぎだったにちがいない。メナンドロスのキャラクターは、いくらか一面的なもので

『恋愛小説家』のジャック・ニコルソンは、“気むずかし屋”の原型を巧みに生かした。

はあるが、それでも大いに好評を博し、彼も自分の芝居に何度もこうしたキャラクターを使った。もっとまじめで壮大な出来事を描いた芝居には、神や英雄などがストック・キャラクターとして使われたように、テオプラストスやメナンドロスの風刺精神は、日常生活を表現する大衆芝居のためのストック・キャラクターを生みだすことになった。

メナンドロスの戯曲はあちこちに広まり、田舎でも上演されたが、どこの観客も、見覚えのあるキャラクターの類型を見つけてはおもしろがった。さらにはローマでも上演され、多少はローマ人好みの飾りたてた芝居に変化したものの、それでも何世紀にもわたって演じられつづけた。

ローマ人によるリメイク

プラウトゥスやテレンティウスなどのローマの喜劇作家は、メナンドロスの戯曲をローマの観客向けに書きかえ、テオプラストス風のキャラクターをすっかり盗んでしまった。プラウトゥスは、見覚えのあるキャラクター類型のセットというアイデアが気に入ったが、金持ちのローマ商人の社会や、彼らに仕えてはいるが主人とまったく違う行動指針で生きる多数の奴隷たちのことも表現しようと考え、さらに新しい類型を加えた。

テオプラストスやメナンドロスが探りだした類型に加え、プラウトゥスは以下のようなキャラクターを生みだした。

老人。よく愚かな真似をする、けちな老人。セネクス（ラテン語で老いた男）、セネクス・イラトゥス（怒れる老人）などと呼ばれ、メナンドロスの〝気むずかし屋〟からヒントを得たことはまちがいない。

横柄な妻。ウクソル（妻）、ムリエル（女）、マトロナ（夫人）などと呼ばれる。

恋する若い男。けちな老人の息子の場合もある。アドゥレシェンス・アマトル（若き恋人）と呼ばれる。

アドゥレシェンスの恋する相手。ビルゴ（若き乙女）と呼ばれる。

ずる賢い奴隷。セルブス・カリドゥスと呼ばれる。

愚かな奴隷。セルブス・ストゥルトゥスと呼ばれる。

女中または子守女。アンキラと呼ばれる。

おべっか使い、たかり屋。パラシトゥス（寄生する者）。

高級娼婦。メレトリクス。

奴隷商人、またはポン引き。レノ（売春宿の主人）。

自慢好きの兵士。ミレス・グロリオスス（自画自賛の兵士）。

『ローマで起った奇妙な出来事』を観たことがあれば、プラウトゥスの揃えたこれらのストック・キャラクターには覚えがあるだろう。サンドハイム、シーブラブ、ゲルバートの手によるこの陽気なミュージカルは、ローマの喜劇が下地になっている。テキサス州オースティンのパラマウント・シアターで、われらがデイビッド・マッケナがこの『ローマ』を上演したことがあるが、われわれの友人でもある役者たちが主演を務め、本当に楽しい舞台だった。『ルーニー・テューンズ』のエルマー・ファッドの歌かというような大げさな凱旋歌《がいせんか》のあと、たくましい筋肉質のデイビッドが演じるミレス・グロリオススが口をひらいたときは、あんなに笑ったことはないというぐらいに爆笑した。いかにもマッケナらしかった。

その後、ローマの劇作家たちはさらに自由な実験を始め、テオプラストスやメナンドロスの類型を二つかそれ以上組みあわせ、もっと多面的なキャラクターを創ろうとした。彼らは、傲慢《ごうまん》で臆病なキャラクターのほうが、どちらか一方の特徴だけのキャラクターよりも滑稽に演じられることや、傲慢で臆病なキャラクターに迷信深さを追加すればさらにおもしろくなると気づいた。こうしてキャラクターは、現代人が期待するような、微妙な陰影のある多面的なものへと変わっていった。

二、三のわかりやすい特徴を持った主要キャラクターのセットを活用する技術は、中世に入ってもよく使われた。テオプラストスやメナンドロスやプラウトゥスが忘れ去られようとも、そのストック・キャラクターと行動パターンの手法は、中世の無言劇や奇跡劇、コメディア・デラルテに生きつづけた。こうした芝居は即興でおこなわれており、役者が自分のキャラクターの行動パターンをざっとつかんだら、あとは自由にジョークやふざけた台詞を言うことが許されていた。

テオプラストスが再び脚光を浴びたのは、印刷術が発明されたルネサンス時代のことだ。出版者が、発明されたばかりのメディアに使おうと、版権がなく誰でも使用できる『キャラクターたち』を手に入れた。近代的な言語に翻訳されたもの、木版でコミカルに描いた人物類型のグロテスクな風刺画を添えたものなど、いくつもの版が世に出た。

テオプラストスの手法のキャラクター素描は、それ自体がひとつの文学ジャンルとなった。テオプラストスが同時代人の習癖を風刺したように、十八世紀から十九世紀の作家たちも同時代によく見られる人物像をあざけり、テオプラストスの伝統を継いだ容赦ない描写をおこなった。テオプラストスの人物類型を使い、芝居や小説を書いた作家もいた。ジョージ・エリオットも『キャラクターたち』を読んでいて、一八七九年には、最後の著作となったキャラクターについてのエッセイ『テオフラストス・サッチの印象』（彩流社、二〇一二年）を書いている。寂しい独身男が知り合いの人々を回顧するというスタイルで書かれたものだ。

その後テオプラストスは、高尚な学術界以外の場所ではすたれてしまったが、それでもその影響力はいまだにあちこちに感じられる。一九六〇年代の初め、演劇の偉大な伝統に学ぶ三人の人物が顔を突きあわせ、忘れ去られたローマの劇作家プラウトゥスの下卑た芝居と元気なキャラクターから、コメディの金塊を掘りだしてみようと決意した。二十三世紀前のアテネの市場で、ひとりの男が目を光らせ耳を澄ませて拾い集めた滑稽な行動の断片を、サンドハイム、ゲルバート、シーブラブが鉱脈として掘り当てたのだった。ひょっとしたらテオプラストスはまだ金塊を持っているのかもしれない。だが、彼が示してくれた価値、魅力的でおもしろい欠点を持った人間を綿密に観察する大切さこそが、われわれ物語作家にとっては最大の贈り物なのかもしれない。

『コメディ・トゥナイト』にもこんな歌詞がある。

いいことも、悪いことも、
頭のおかしな男がいても、
今度ばかりはすべて一件落着
悲劇は明日だ、今夜は喜劇を！

※テオプラストスの『キャラクターたち』の英訳版（一九〇二年版、Chas. E. Bennett & Wm. A. Hammond 訳）はオンライン上で読める。
URL——https://www.archive.org/details/charactersoftheo00theorich

マッケナからひと言

鼻高々な神話の大先生ボグラーへ

この章、僕にはなんの賛辞もないってわけかい？　冗談じゃないぞ《グレート・シーザーズ・ゴースト》、つまらない輩《やから》（君の親友兼共同執筆者じゃなくてだ）に知的過失で訴えられても知らないからな！　あえて言わせていただくよ、先生。ジョーゼフ・キャンベルの聖堂に熱心に通いつづけていた君を、たっぷり挿絵の入った（実に愉快な）テオプラストスの本の世界に引きずり込んでやったのは、誰あろうこの僕だ（だいたいあの本、君から返してもらったっけ？）。

冗談はともかくだ、クリス。君はこの章で大きな発掘作業をやってのけた。僕の視野の狭さはわかってるが、僕は喜劇のブレインストーミングのためにテオプラストスの素描を使う程度だ。ゼロ・モステルやジーン・ワイルダー、ジャッキー・グリーソンやバーニー・マックのような現代の優れた喜劇役者たちが、この古代のレスボス人のことをどのぐらい知っているんだろうと思う。テオプラストスの滑稽なまでにみっともない人々の肖像をながめていると、ジェリー・スティラーはあの本を枕にして寝ているとしか思えなくなってくる。モリエールやシェイクスピアも、まちがいなく偉大なるテオのことを知っていただろうし、少なくともテオの教えは、何世紀にもわたる演劇の伝統を通じて、彼らに浸透していたはずだ。

世間にはあまり知られていないテオプラストスのこの書物は、入手しやすいし、比較的気楽に読める。物語のアイデアをいじりまわそうと考えているライターなら、誰でも枕もとに置いておくべきものだ。それを宣伝してやったのだから、友よ、君は本当に親切だ。

それとね、ボグ、あの本を使ったゲームを提案したことについては、ちょっとぶん殴ってやりたいね！　僕がいつかこのアイデアで金儲《かねもう》けして、引退したら南フランスで悠々と暮らそうと思ってたのにさ……。

第12章　シノプシスとログ・ライン

マッケナ

演出家の僕は、いつでも役者たちと一緒に自分の台本を試せるという点では、芝居を書いているほかの作家たちよりもずっと有利な立場にある。やっていることが混乱してきて、どう動かせばいいのかわからない、全体像を知りたいというときには、仲間を集めて通し稽古《けいこ》をやればいいからだ。

その通し稽古がめちゃくちゃになることもある（通し稽古《ラン・スルー》というよりは、もたもたごっこ《リンプ・スルー》と呼びたくなる）。いくつかのシーンはうまくいっても、残りのシーンは誤解されていたり、単に言いたいことが伝わっていなかったりする。それでも僕は仲間たちに全部演じてもらい、いまの状況を評価したり、次に何が必要か考えたりする。この〝もたもたごっこ〟リハーサルも、価値あるツールと言える。

僕が映画の脚本を書きはじめ、脚本家のワークショップを指導するようになってから、これと似た効果があるツールはないものかと思うようになった。そして、映画会社で何年か仕事をするうちに、それを見つけだした。シノプシスとログ・ラインだ。

映画会社の幹部のもとには毎年大量の原稿や本が届けられるが、それを自分で全部読むのはまず不可能だ。そのため〝読み手《リーダー》〟に委託して読ませ、作品の要約をレポートの形にまとめてもらうという方法をとっている。物語を説明する一文（ログ・ライン）と、少し詳しい相互アクション の概略（シノプシス）からなるレポートだ。こうした〝スクリプト・カバレッジ〟を作らせることで、幹部はどれに何が書かれているかを知り、どれに注目すべきかを決めることができる。

僕はこの〝カバレッジ〟を、自分用、そしてライティング・クラスの生徒たち用のツールとして採用してみた。〝リーダー〟の仕事との大きな違いは、リーダーはすでに存在する原稿を要約するが、われわれはまだ創作中のアイデアの要約にこの方法を使うという点だ。

このツールはすばらしい効果をあげた。たとえば、別の脚本家との共作の最中に、意見の食いちがいが出てきて議論になったとしよう。この対立を解消するためには、二人のどちらか一方、あるいは双方で、一日かけて全体のストーリーを一ページか二ページにまとめてみるのだ。

〝もたもたごっこ〟のリハーサルと同じように、このシノプシスは、自分と共同執筆者の意見の違いをはっきりさせ、その部分が全体のストーリー設計とどう結びついているかを示してくれる。共同執筆者と自分が脇道にそれてしまい、創作中の物語に対する意見が急に食いちがいだしたのがわかることもしばしばだ。シノプシスを書くと、どこで道を踏みはずしたのか、もとの道に戻るにはどうすればいいかがわかりやすくなる。

僕のワークショップに参加しているライターたちが、自分のアイデアをシノプシスの形にすると、自分が何を知っているか、何を知らないのかに気づき、物語構造のどこを改良すればいいかが見えてくる。シノプシスによってライターは、どのみち途中で行き詰まってしまう作品を何百ページも書いてみる必要もなく、その全体設計を効率的に考えられるようになる。

ログ・ラインも同じくらい重要なツールだ。ライターの執筆にはさまざまなスタイルがある。何百ページも下書きし、そこからインスピレーションを得ようとするライターもいる。最初に書いた概略からアイデアを生みだせるライターもいる。劇作家のエドワード・オールビーは、一度戯曲の下書きをしただけで完璧《かんぺき》な作品になるというから驚きだ。どんな準備段階を踏むにしろ、ライターは一度、全体のアイデアを一文にまとめてみるといい。それだけでその後の作業が生産的に進む、と、僕は確信している。この文章が、〝原型〟としての主人公、主人公の〝求めるもの〟、主人公が挑む〝障害〟を明確にしてくれる。

一文とは厳しい制限だと思うかもしれないが、もともと映画のストーリーはひとつのことを描いたものであって、ログ・ラインを書いてみればそれがすぐにわかると思う。たとえば、『アラビアのロレンス』は三時間にも及ぶ映画で、数多くの問題を扱っている。だが、映画の核となるのは、〝故郷〟と〝使命〟の感覚を求め、故国イギリスとアラビア人への情愛とのあいだで板挟みになる、主人公（T・E・ロレンス）の姿だ。

一行で表現できるこの壮大なテーマを決定してしまえば、ロレンスの人生からどのエピソードを脚本に含めるべきかは、脚本家のロバート・ボルトには自明の理だった。この叙事詩的な脚本の個々の場面も、全面的にそのテーマを支える意図で創られなければならない。

ログ・ラインとシノプシスの事例を下記にあげてみるので、参考にしてほしい。ベン・アフレックの見事な監督作、『ゴーン・ベイビー・ゴーン』の初期の草稿だ。ログ・ラインが、〝主人公（私立探偵コンビ）〟、〝求めるもの（誘拐事件の解決）〟、〝障害（歴史のある近隣地域の闇の底辺）〟を明確にしていることに注目してほしい。ストーリー全体の動きを一文で表現している。まさにかくあるべきログ・ラインだ。

ログ・ライン――私立探偵コンビのカップルが、麻薬の売人に誘拐されたと見られる幼い少女の行方を追い、古い歴史のある近隣地域を捜索する。

シノプシスには、物語の詳細をすべて含める必要はない。キャラクターを深いところまで描写する必要もない。ジョークや心に訴えるシーンや感情描写も必要ない。ほとんど無情なぐらいの書きかたで、ただ脚本の背骨を抜きだしてみせればいい。

脚本のレントゲン写真みたいなものだ。診断ツールとして使うものであり、必要なのは簡潔さだ。

シノプシス——パトリック・ケンジーは幸福な男だ。愛する女性、アンジーと一緒に暮らしている。もうすぐ子どもが生まれるところで、二人は私立探偵社のパートナー同士でもあり、経営も順調だ。

二人は治安の悪い地域で暮らしているが、その地元はいま、四歳のアマンダ・マックリーディ誘拐事件で揺れていた。アマンダの母親のヘリーンは酒飲みで薬物依存症だ。ヘリーンの兄のライオネルと義姉のビーが、パトリックとアンジーに調査を依頼する。警官のドイルもパトリックとアンジーに協力的だが、事件には望みがなさそうに見えた。

やがてパトリックとアンジーは、クリス・マレンという地元の男が、アマンダのニュース中継の背景に必ず映っていることに気づく。二人はヘリーンがいりびたっているバーを調べに行く。何人かの悪党(レイ、レニーなど)に絡まれたパトリックとアンジーは、逃げ

るために拳銃《けんじゅう》を抜かなければならなかった。

警官のプールとブレサントは、パトリックやアンジーと手がかりを共有する。警官たちは、性犯罪者のレオン、ロベルタ、コーウィンに注目する。さらに、クリスの麻薬売買仲間のチーズとの関係をヘリーンに問いただす。ヘリーンは口を割らなかったが、彼女はパトリックに、自分とレイがチーズから金を盗んだことを告げる。

パトリックと警官たちはこの手がかりを追い、拷問の末殺されたレイを発見する。ヘリーンはパトリックに盗んだ金を渡す。パトリックと警官たちは、この金で無事アマンダを取りもどせることを願う。

パトリックとアンジーがチーズと会い、取引を提案する。チーズは金を返してほしがっていたが、アマンダのことは何も知らないと言う。さらに、別の子ども（十二歳のサミュエル）が忽然《こつぜん》と姿を消してしまう。チーズはパトリックとアンジーに電話してきて、取引の場を手配すると言いだす。

ドイル（彼は何年か前に娘を誘拐犯に殺されている）は、この取引のために警官たちを組織する。場所は人里離れた採石場が使われたが、取引は予想外の方向に行ってしまう。暗がりのなかで銃撃戦が始まる。土煙がおさまってみると、麻薬の売人のクリスが死んでいて、金は消え、アマンダもどこにもいなかった。アマンダは殺された、と誰もが思った。チーズがパトリックに接触してきた。自分はアマンダを誘拐してはいないし、殺してもいないと主張するチーズ。

しかし、パトリックがそれ以上のことを聞きだす前に、チーズは何者かに殺されてしまう。パトリックはもうこの事件からおりたいと思うが、アンジー（この捜査で流産した）は真相を突きとめるべきだと言い張る。

パトリックは反発するが、旧友のブッバが小児虐待者のレオン、コーウィン、ロベルタにコカインを売ると知り、事件の調査に戻る。麻薬の売買のあいだに、パトリックはこの三人とサミュエルの誘拐との関連を見いだす。

パトリックはアンジーと警官たちにこのことを知らせる。警官のプールは性犯罪者たちのもとに押しかけるが、撃たれて死んでしまう。パトリックもこの騒ぎに乗り込んだ。彼は三人を殺害し、そして拷問されて死んだ幼いサミュエルの遺体を見つけた。

パトリックは自分の見たものすべてに激しい嫌悪を感じていた。それでも捜査を続けざるをえなかったのは、警官のブレサントが実は嘘をついていて、彼がレイの殺害に関わり、チーズの金を盗んでいたことを察知したからだった。このためにパトリックとブレサント

は撃ち合いになり、パトリックはブレサントを殺すしかなかった。

事件は終わったかに見えたが、アンジーはこのままでは終われないと感じていた。アンジーは、ドイルのことも調べようと言いだした。二人はドイルを追いつめ、奪われた金と幼いアマンダ（生きて健康な状態）が見つかった。ドイルは殺された娘のかわりにアマンダの面倒を見ていたのだった。

パトリックとアンジーは、厳しい選択を迫られる。ドイルは幼児誘拐犯として罰を受けなければならない。だが、アマンダにとってのドイルは、薬物依存のヘリーンよりもずっといい親だ。二人はアマンダのために、ドイルを見逃すことに決めた。

物語作家が観客の心をしっかりとつかむには何を表現する必要があるか、それを知るための助けとなるシノプシスとログ・ラインは、価値あるすばらしいツールだ。

考えてみよう

1　なんらかの脚本を読み、ログ・ラインとシノプシスだけのカバレッジ・レポートを書いてみよう。〝短ければ短いほどいい〟ということに気をつけ、ストーリーをＡ４用紙で二枚以下【訳注：日本語なら原稿用紙四～五枚程度】に要約してみよう。

2 自分があたためているストーリーを使い、ログ・ラインとシノプシスにしてみよう。

ボグラーからひと言

ログ・ラインとシノプシスは、ストーリー・アナリストの仕事に欠かせない日常ツールだ。映画会社のシステムにおいてストーリー要約の一文が〝ログ・ライン〟と呼ばれているのは、作品のプロットやコンセプトの短い説明を、検討中のストーリーとして、映画会社の〝業務記録《ログ・ブック》〟に記入しておく必要があるからだ。

たとえばログ・ブックに『私はイルカと結婚した』というタイトルが書かれたとして、その下に三つか四つのストーリーが見つかることもあるので、短い説明文があれば区別に便利だ。

うまいログ・ラインは、別のことにも役だつ。カバレッジを読む映画会社の幹部、プロデューサー、監督、役者などが、ログ・ラインを見て進行中のストーリーに関心を持ってくれることがある。エキサイティングなログ・ラインや興味をそそるログ・ラインは、〝良質のカバレッジ〟の重要な要素であり、映画会社の関係者にアイデアを売るのにも役だつ。

ストーリーを巧みな一文に煮つめるというデイビッドの提案は正しい。ただし、私が映画会社でやる仕事では、ログ・ラインとして二つないし三つの文を書いている。三幕構造の第一幕、第二幕、第三幕の説明にするためだ。私のログ・ラインは、たいてい次のような構造になっている。

①屈託のない若い男が豪華客船のチケットを当て、船上で情熱的な若い女性と恋に落ちるが、彼女は金持ち男との結婚を強いられそうになっていた。
②嫉妬《しっと》深い金持ち男とその腹心が二人を危険な立場に追い込もうとするが、そのとき船が氷山に衝突し、全員が生命の危機にさらされる。
③悲惨な死や破滅の渦中で、若い男は自分を犠牲にして恋人を救い、自分の分まで人生を生きてくれと告げる。

これは口頭でストーリーを伝える場合にも使えるテクニックだ。物語における三つの大きな動きを、聞き手に対して明確に方向づけするといい。

自分のストーリーを一文であらわし、さらに三つの文であらわしてみるのもいいと思う。本当のところ、どんな長さででも自分のストーリーを語れる準備はしておくべきだ――それも物語作家の仕事だ。アイデアを売る過程では、さまざまな長さでストーリーを表現しなければならない。ひと言、ワンフレーズ、ワンセンテンス、ワンパラグラフ、一ページ、三ページのシノプシス、一〇ページの概略、二〇ページや五〇ページのまとめ、そして脚本や小説の全編。

〝シノプシス〟はギリシャ語から派生した言葉で、〝一般的な見地〟〝全体像〟といった意味がある。デイビッドの言うように、自分の作品やあたためているストーリーのシノプシスを書くことは、そのストーリーを〝ものにする〟という実感を得るためには最も有益な方法のひとつだと思う。

そうすることで、プロットの欠点や論理的矛盾、誤った想定などが見えてきて、シーンやショットや台詞《セリフ》に気を取られていたときには気づかなかったものに気づく。木を見てばかりいるうちは森は見えないし、一歩さがって全体像をながめ、ストーリーのさまざまな部分がどう関連しあえばトータルな効果があがるかを知るべきだ。何度もくり返すうちに、シーン単位では見えないストーリー上の弱点もわかってくる。

また、シノプシスを書くと、表面的な問題を解決するおもしろいキャラクターはいるものの、結局は重要な試練には向きあっていないとか、主人公の行動が一貫していない、重要な局面で決定的な行動をしそこなっている、といったことが判明する場合もある。

自分が好きな映画や小説やマンガをシノプシスにしてみると、創り手がどうストーリーを磨きあげているかがよくわかり、驚くこともあるだろう。

自分のストーリーをシノプシスにしてみれば、原因と結果の関係性やパターンで、自分が見逃しているものに気づくこともあるはずだ。

旅の途中のボグラー（左）とマッケナ。

本書は、二〇一三年九月に小社より刊行した『物語の法則　強い物語とキャラを作れるハリウッド式創作術』を改題のうえ上下巻に分け、一部再編集したうえで刊行したものです。

上巻では冒頭の献辞～第12章を収録しています。

クリストファー・ボグラー&デイビッド・マッケナ
【ボグラー】1949年、米国ミズーリ州生まれ。ハリウッドでストーリー開発の第一人者として注目されるストーリー開発コンサルタントにして、脚本家、作家、教育者。ジョージ・ルーカスの母校である南カリフォルニア大学 School of Cinema-Televisionで映画製作を学ぶ。ストーリー開発に携わった映画は、ディズニーの『美女と野獣』『ライオン・キング』の他、『アイ・アム・レジェンド』『ハンコック』『レスラー』など多数。
【マッケナ】1949年、米国ニュージャージー州生まれ。コロンビア大学、バーナード大学などで映画を教える。1万作以上の脚本のストーリー分析をおこない、フォーカス・フィーチャーズ、HBO、20世紀スタジオなども顧客に持つ。演出家として100以上の舞台を上演し、大半の脚本の共同執筆もおこなっている。

（訳）府川由美恵（ふかわ・ゆみえ）
翻訳家。訳書に、小説「アイスウィンド・サーガ」シリーズ、アメコミ『DUNGEONS & DRAGONS ダークエルフ物語』３部作（以上、KADOKAWA）など。

面白《おもしろ》い物語《ものがたり》の法則《ほうそく》〈上〉
強《つよ》い物語《ものがたり》とキャラを作《つく》れるハリウッド式創作術《しきそうさくじゅつ》

クリストファー・ボグラー&デイビッド・マッケナ
府川由美恵《ふかわゆみえ》（訳）

2022年 2月10日　初版発行
2024年10月20日　3版発行

発行者　山下直久
発　行　株式会社KADOKAWA
〒102-8177　東京都千代田区富士見2-13-3
電話　0570-002-301（ナビダイヤル）

装丁者　緒方修一（ラーフイン・ワークショップ）
ロゴデザイン　good design company
オビデザイン　Zapp!　白金正之
印刷所　株式会社KADOKAWA
製本所　株式会社KADOKAWA

角川新書

ISBN978-4-04-082424-6 C0274